詩と生命《いのち》の危機
——詩の、美しさと深さをめぐる一省察

佐久間隆史

土曜美術社出版販売

詩と生命《いのち》の危機

——詩の、美しさと深さをめぐる一省察

目　次

I

詩と存在の喪失
――辻邦生の所説を顧みながら

生命《いのち》の危機と唯美ということ
――ニーチェの『悲劇の誕生』をめぐって

詩と生の危機
――桃谷容子の詩をめぐって

Ⅱ

詩的体験の根源を探る
――詩と存在の体験

詩の深さと美しさをめぐって
――世阿弥・芭蕉の所説を顧みて

詩にとっての新しさと「誠《まこと》」ということ
――芭蕉の、現代の詩に対して持つ意味をめぐって

生命《いのち》の危機と知性
——修辞的と言われる、詩の現況を前にして

Ⅲ

詩と存在とのかかわりをめぐって
——東洋の詩心と思惟の普遍性を探る

詩と生命《いのち》の危機

——詩の、美しさと深さをめぐる一省察

I

詩と存在の喪失

——辻邦生の所説を顧みながら

（一）　知性と存在の喪失

私たちは普段、自分が今、ここに存在していることを疑わないで、日々を過ごしている。しかしその事実は、私たちが存在喪失をまぬがれて、日々を生きていることを、かならずしも意味してはいない。

たとえば、私がよく触れる事実ではあるが、三島由紀夫が、映画「憂国」への出演をめぐって次のように語っていた事態を考えてみていただきたい。

いはば私は、不在証明《アリバイ》を作らうとしたのではなく、その逆の、存在証明をしたい、といふ欲求にかられたのである。

右の文中には、外見的にはこの世に存在していながら、実際には、そこにいるとは言えない一人物、だから、自分がこの世に存在していると実感しえない一人物がいるからで、私たちも、家庭や職場に身を置きながら、自分の居場所を見出しえない事態、だから自分がそこにいるとは言えない事態を時として味わわされることがあるからだ。

あるいはここで、右の事実に関して、同じ三島の次のような文章を考えてもよいかもしれない。

人生は舞台のやうなものであるとは誰しもいふ。しかし私のやうに、少年期のをはりごろから、人生といふものは舞台だといふ意識にとらはれつづけた人間が数多くゐるとは思はれない。（『仮面の告白』）

僕の「役」は透明な膜のやうに僕を包み、僕をしつかり衛つてゐる。僕は堅固な城のなかにゐるのも同様だ。

（中略）もし監督が激して、僕に殴りかかつたとしても、彼の拳は空虚なものの中を泳ぎ、決して「僕」を殴りつけることができないのを、僕は知つてゐる。（「スタア」）

初めの文中には、外見的にはこの世に身を置いていながら、実際にはそこにおらず、それ故そこの諸事物、諸事象が自分にとって意味のないもの、だからそれらが偶然的でたまたまのもの、ゆきずりのものにしか見えない事態が潜んでいるし、その「スタア」の「僕」の、外見的には、殴られている場に身を置いていながら、実際にはそこに身を置いておらず、殴られる役を演じている、その「僕」の姿こそは、まさに、実人生に身を置かず、それを「舞台」として把えていた、かの『仮面の告白』の主人公の、〝スタア〟としての姿、だから〝仮面〟をかぶりながら生きていたその主人公の姿と符合しているからである。

つまり、私たちも、三島と同様、存在喪失の体験を持たされはするが、それはたまたまのもので、三島のように常態としてではないということ、従ってその事実を踏まえれば、三島のその特質は、その常態性にあると言えることになってくるが、その常態性こそは、あるいは唐突な印象を与えるかもしれないが、私にはまさに、彼が色濃く身にまとっていた知性を形造っていた母胎と思われてくるのである。知性とは、一状況の中に身を置かず、それの外に立って、その中の諸事物、諸事象を、距離を持ちつつながめる冷たさを意味しているとも言えるからで、その冷たさこそは『仮面の告白』の主人公をして、自分の人生をさえ夢・幻として把えさせていた当の事態と思われてくるからである。

つまり、知性とは、外見的には一状況の中に身を置いていながらも、実際にはそこに身を置いていないところでの、冷たい、頭の中だけの抽象的な理解を意味しているということ、従ってその知の抽象性は、この世における、彼の存在の抽象性・非現実性と一体のものとして存在していると言えることにもなってくるのである。

そして私たちは、その事実を、彼がたとえば『太陽と鉄』の中で、次のように語っていたことによっても確かめることができる。

血が流され、存在が破壊され、その破壊される感覚によつて、はじめて全的に存在が保障され、見ることと存在することとの背理の間隙が充たされるだらう。……それは死だ。

右の言葉は、彼の市ヶ谷での死を先取りした言葉と言えるが、「見ることと存在することとの背理の間隙」とは、要するに、一状況、一世界の中に自分の居場所を持ちえず、それらの外に立って、そこの情景やその中の自己を、自分とは無縁の、一個の対象として冷たくながめざるをえない「背理の間隙」ということであって、その存在を喪失している事態こそは、『仮の告白』や「スタア」の主人公をして、自分や人生を、俳優、舞台として把えさせていた事態だったからである。それ故その事実を踏まえれば、私たちは、彼の死をめぐって、それは、自分の意志や意識にかかわりなく、演技者・俳優として生きるように差し向けられた者が、その自己の仮面性・演技性にたえられず、いのちをさえかけて、自己や自己の存在を獲得しようとした、人生劇場の中での、ひとの視線を不可欠とした死と言えることにもなってくるが、ここで以上の事実を踏まえふれたいのは、右で、三島を介して垣間見た、存在と知性との関係は、三島のみに見られる事態ではないということである。

たとえばここで、私たちになじみの詩人、西脇順三郎が「芭蕉の俳句」の中で、「わたし自身、どれか一番正しい人間の生き方かというときには、やはり放浪というか、旅人・乞食《こつじき》、そういったものを人間の生態というふうに思うんです。」と言いながら、「詩と眼の世界」の中で、自分の世界をめぐって、「この世界では人間も花も岩も同じ、外界物にすぎない。」と言っていた事態を考えてみていただきたい。

初めの文中には、この世に居場所を持たない他国人としての一人物がいるし、人間や花、岩がともに「外界物」になってしまうのも、他国人にとっては、自分が見聞きするものが、自分にとって、意味の薄弱なもの・ゆきずりのものにしか見え聞こえなかったからに他ならないのである。つまり、「外界物」にしかすぎないと言おうと、夢・幻にしかすぎないと言おうと、同じことを意味しているのであって、それは、それらが自分にとって、真実性・実在性をおびて見え聞こえてはいない事態の、単なる一表現にしかすぎないのである。

あるいはここで、ヴァレリーが『覚書と余談』（筑摩書房・ヴァレリー全集5巻所収）の中で、レオナルド・ダ・ヴィンチの「熱狂状態における性愛は、非常に醜いものであり、もし当事者たちがそれを見たら、人類は絶滅してしまうだろう。」という言葉をめぐって、次のように語っていた事態を考えてもよいかもしれない。

性行為の機制についてのきわめて冷いこの視線は、知性の歴史のうえでも独特のものである。

「熱狂状態における性愛」が、その「当事者たち」にとって、「非常に醜いもの」に見えるとしたのなら、それは、彼らが自分の身体を使い、性行為を営みながらも、実際には、その場に身を置いておらず、それの外に立ってながめつつ、演じているからであって、その状態を「知性」という言葉をもって把えるということは、私たちが先に見た、三島の「スタア」の中の、かの「僕」の、殴られながらの、実際には殴られていなかった姿、だから殴られる場に身を置かず、その外に立って、殴られている自分をながめている姿も、「知性」的ということになってくるからで、その事実は、ヴァレリーが、自分をも念頭に置きつつ、「哲学者」をめぐって、次のように語っていた事態を考えても、また確かめられる。

哲学者の仕事にとっては、ものを理解せぬということが不可欠なことなのである。哲学者たちは、どれかほかの星から地上におちて来た者でなくてはならず、永遠の他国者でなくてはならない。（全集9巻所収「オランダからの帰り道」）

「ものを理解せぬ」とは、「他国者」として、ものの意味を実感しえないことを意味しているからである。つまり、ヴァレリーも、三島や西脇と同様、ものの意味を実感しえない「他国者」としてあったということ、そして彼は、その「理解」と存在の抽象性・非現実性を「知性」という言葉をもって把えていたということ、私たちは、従ってその事実をとおして、知性が、「理解」と存在の抽象性・非現実性を意味していることを教えられもするのである。

(二) 存在の喪失と生の危機

右で、知性と存在喪失との関係を垣間見たが、それらは、私たちが生の減弱ないし喪失に見舞われていることをも物語っている。私たちが一状況・一世界の中に身を置く「ここ」という存在拠点・居場所こそは、私たちの生をはぐくみ、守りもする、行為・行動の拠点であるし、その行為・行動も、それらをなしうる身体なくしては不可能ということになるからである。

たとえばここで、生涯、身体の不在感になやまされていた三島が「生と存在感を犠牲にすることが大きいほど、知性はたっぷりと支払はれる」(『豊饒の母』)と語っていたり、西脇、ヴァレリーが次のように語ったりしていた事態をここで考えてみていただきたい。

一片の板を見てもただ板の与える視覚的な意味だけをうける。それは死なんとする人の眼に映ずる最後の存在の形式である。（「詩と眼の世界」）

事物に注ぐ奇妙な眼、見馴れることのない人間の、この世の外の、存在と非存在の境にある――それは思想家のものだ。それはまた臨終の者の、弁別の力のなくなった人間の眼である。（全集2巻所収『テスト氏』）

三島の文章においては、生と存在とが一体のものとして把えられていて、それらの喪失がイコール知性を意味するものとして語られているし、後の二つの文章においても、存在の喪失がイコール身体の減弱ないし喪失として把えられているからである。つまり、存在の減弱ないし喪失がイコール知性を意味していたという事実を踏まえれば、右の三者が、身体の減弱ないし喪失に言及していたのは偶然のことではなく、それは、身体が存在の拠点であると同時に、行為・行動の拠点でもあったことによるということ、そしてそれらの事実は、先ほどから触れている一事実、つまりは、彼らが身にまとっていた他国者性へと行き着くのである。いのちを失い、あの世へと旅立とうとしているひとこそは、この世での居場所を喪失、あの世へと旅立とうとしている他国者と言える人物だからである。

そして右の事実は、西脇、三島が次のように語っていたことを考えても、これまた確かめられる。

年をとるにつれて私の心の中に「存在自身の淋しさ」といったような情緒がますます湧き出てきて流れている。この傾向は若い時からあった。それは生理的なものであると思う。私は若い時から低血圧に苦しめられた。（「脳髄の日記」）

沢庵を二切れそへた藷だらけの飯を、看護婦はぱくぱくと喰べだした。人間が御飯をたべるといふ習慣がこれほど無意味に見えたことはなかつたので、私は目をこすつた。やがてかうした観方が、私が生きる欲望をすつかり失くしてゐることに由来してゐるのを私はつきとめた。（「仮面の告白」）

西脇の言葉は、いのち衰えた臨終のひとのあり方と重なるし、三島のその言葉も、同じくいのちの衰え・減弱を物語っているからである。

あるいはここで、右の事実、くりかえせば、存在の喪失といのちの衰えとのかかわりをめぐって、知性が見聞きするものに対して、生きた関係を喪失、それらを一個の物体としてしか把ええなかったり、ヴァレリーが、先程触れもした「オランダからの帰り道」の中で、同じ「哲学者」として深い共感をもちつつ言及していたデカルトが、その『方法序説』において、次のように語ったりしていた事態を考えてもよいかもしれない。(引用は、筑摩書房・世界文学大系23所収『方法序説』に依る)

私が何であるかを注意ぶかく吟味し、次の(二つの)ことをみとめた。すなわち、私は、私が身体をもたず、世界というものも存在せず、私のいる場所というものもない、と仮想することはできるが、しかし、だからといって、私が存在せぬ、とは仮想することができず、それどころか反対に、私が他のものの真理性を疑おうと考えること自体から、きわめて明証的にきわめて確実に、私があるということが帰結するということ、逆にまた、もし私がただ考えることだけをやめたとしたら、たとえそれまで私が想像したすべての他のもの(私の身体や世界)が真であったとしても、だからといって私がその間存在していた、と信ずべき何の理由も、ないということ、さてこれらのことから私は次のことを知った。すなわち、私は一つの実体であって、その

本質あるいは本性はただ、考えるということ以外の何ものでもなく、存在するためになんらの場所も要せず、
いかなる物質的なものにも依存しない、ということ。

諸事物、諸事象との、生きた関係を欠いている事態は、いのちを失い、あの世へと旅立とうとしていた、かの知性の、他国者としてのあり方の一つのあらわれと言えるし、デカルトが語る、身体は勿論のこと、世界やそこでの居場所をさえ持たない人間の、非現実的で抽象的なあり方は、ヴァレリーが語っていた、他国者としての、知的な「哲学者」と符合しているし、デカルトこそは、主客の分離を踏まえ、世界を対象化、中世的世界より人間を解放、思想的に、西欧の近代を準備した人物だったからである。

つまり、主客の分離を踏まえ、世界を対象化するところに生み出された西欧の近代と、これまで見てきた知性とが、ともに、その生と存在を喪失しているのは、偶然のことではなく、それは、西欧の近代が、主客分離以前の小児が、その分離以前の一の状態より独立して大人になるそこに誕生する知性を踏まえ生み出されているからに他ならない。簡単に言えば、近代の誕生とは、それまで、おのずからという形で生きてきた世界より離脱、自分の力をたよりに、失われた世界を追い求めて

行くことを意味しているが、それは、私たちが父母のもとで生きてきた世界から離脱、自分をたよりに生きて行く事態と符合しているということ、そこより、これまで見てきた知性と、西欧の近代とが、ともに、生と存在の喪失をかかえつつ、自分の力をたよりに、それの獲得をめざすという事態も生じてきているのである。

(三) 生と存在の喪失と詩

右で、知性がそのうちに、生と存在の喪失をかかえている事態を見たが、それらの事態は、当然のことながら、それらを反映した詩や詩人を生み出す。つまり、人間である以上、それが生み出す詩は、すべて知的と言うことができるが、以上見てきた知性の特質は、その中でも特に知性的と言える詩や詩人を生み出すのである。

たとえばここで、先程から触れている西脇順三郎が、自分の求める「ポエジイ」をめぐって、その『詩学』の中で、次のように語っていた事態を考えてみていただきたい。

私としてはポエジイは新しい関係を発見することであると実感として言える。そして私をよろこばせるような関係はみな超自然的なものであった。私は大詩人の詩作を読むときでも、（私の心をとらえたのは、筆者）その中の自然や現実やテーマや話の筋ではなかった。その中で何についてその詩人が言っていようとそれには全く興味がなかった。勿論またその詩人がどんな思想をのべていようがそんなことはどうでもよかった。ポエジイとしての思考しかみなかった。絵画でも同じように、その絵が林檎であろうが風景であろうが肖像画であろうが、ただ面白い「関係」だけを発見しようとしていた。

右の文中には、非現実的な美にしか意味を見出しえない他国者としての西脇がいるし、その他国者としての姿は、生の減弱を伝える、彼の「ぼくは、でも人間の欲望というのは大きらいです。」とか、「肉欲、煩悩、みな捨てなければいい詩が書けないんだよ。」（「反経済としての詩」）という言葉と符合してもいるからである。つまり、彼にとっての「いい詩」とは、この世への欲求を一切欠いた、臨終のひとにとっての「いい詩」を意味しているのであって、それ故それはまさに、生と存在の減弱を内包している詩として、知性の詩と言えることになってくるのである。

あるいはここで、西脇の「抒情詩は好きじゃない」（「詩人と詩心」）という言葉や、「僕は如何なるイデオロギイをも排除した詩が好きだ」（「詩と眼の世界」）という言葉を考えてもよいかもしれない。それらの言葉は、同じく他国者性を踏まえた、ヴァレリーの「俺は自分の《感情》を書くこと……をどんなに嫌うか」（全集2巻所収『己れを語る』）という言葉や、「彼は思想をその純粋な偶然のなかで凝視する」（「テスト氏の肖像のために」）という言葉と重なるからである。

つまり、感情は、世界や、そこの諸事物、諸事象に対して責任を負うところでしか――ということは、それらと生きた関係を持つところでしか、ということにもなってくるが――生じないということ、従って、感情や思想に意味を見出しえない事態は、自分が身を置いている場に、実際は置いていない事態、だから、彼らの他国者性を踏まえ生じてきているのである。

そして右の事実は、三島が『私の遍歴時代』や「詩を書く少年」の中で、「もう一度原子爆弾が落つこつたつてどうしたつて、そんなことはかまつたことぢやない。僕にとつて重要なのは、そのおかげで地球の形が少しでも美しくなるかどうかといふことだ。」とか、「言葉さへ美しければよいのだ。さうして、毎日、辞書を丹念に読んだ。」とか、言っていたことを考えても明らかになってくる。あるいはここで、西脇が「ポエジイは人間の救済である。」と言いながら、それに続けて「しいたげられている人たちや世をはかなむ人たちを精神的に救済することになる。マルクスは物質的に救済しようとした。」（『詩学』）と語っていたり、三島の『金閣寺』の主人公が、美の象徴としての金閣があらわれるたびに、現実の場での性行為・性行動を奪われたりしていた事態を考えてもよいかもしれない。前者の中には、行為・行動を奪われている一人物がいるし、『金閣寺』の主人公が、金閣の出現によって、行為・行動を奪われる事態も、彼が現実の場に、行為・行動の拠点をもっておらず、非現実的な美にしか反応しえない事態を踏まえ生じているからである。つまり、三島は、『金閣寺』の主人公が、金閣ゆえに、行為・行動が奪われるように書き記しているが、それは、これまで見てきた事実を考えてもわかるように、金閣ゆえではなく、彼がもともと現実の場に、行為・行動の拠点や身体を所持しておらず、非現実的な美にしか反応しえない事態より生じているということ、従ってその事実は、右の西脇の言葉とともに、生・存在の喪失にさらされた、非現実的な美の体現者としての、詩人のあり方を示していると言えることになってくるのである。

そして私たちはまた、右の事実を、身近な詩人を介しても確かめることができる。

以下の事実は、くわしくは拙著『詩学序説』所収の「詩を体験することと詩の技術」、「詩と存在の喪失」にゆずるが、たとえば鈴木志郎康が『やわらかい闇の夢』所収の詩「母国語」の中で、次のように歌っていた事態を考えてみていただきたい。

人間が喋っているのが聞える
おお　母国語なのだ
私は母国に生活していて
生まれた町に生活していて
母国語を話したい思い
私は理解出来ない

右の詩句の中には、外見的には「母国」に身を置きながら、実際には、そこに身を置いていない、他国者としての一人物がいるし、その人物が作った〝詩〟が、次のような詩であったからである。

グンゾエゴーロ
デルゴーロ

ホモホモ

マンテルローエ
イブローエ
ミヒミヒ

グンゾエゴーロ
イブローエ
マハミヒモホ　（「口辺筋肉感覚説による抒情的作品抄」）

つまり、彼が「母国語」を、頭の中では〝理解〟しながら、実質的に理解できなかったり、逆に、私たちが右の〝詩〟を理解できなかったりするような、彼の言語活動の実質的な挫折は、彼が「行為の終末・行為の回復」の中で次のように語っていたその事実を考えてもわかるように、私たちに責任があるのではなく、その原因は、彼そのひとが身体や存在を欠いていた事態、だから彼が身にまとっていた、この世における非現実性・抽象性にあると言えることになってくるし、私たちはまた、彼をめぐって、彼こそは、世界や、そこでの生・存在を欠いている一人物といえることにもなってくるのである。

> 私に行為が欠けているのは、私に鍛え上げられた肉体がないからだと思い、私は肉体の鍛錬に駆り立てられそうになる。しかし、どこを向いても、じつに私自身の行為が現実《ママ》される空間がないのだ。

あるいはここで、右の事実に関して、鈴木と同時代の詩人、入沢康夫が「詩についての三つの断章」や『重奏形式による詩の試み』の中で、〝詩は表現でない〟とか、「詩というものがのつぴきならない心の中のものの、ぬきさしならない表示であるといふ一つの『思い込み』が厳としてある」と言いながら、同じ「詩についての三つの断章」の中で、「『詩を書くとはどういうことか、詩を読むとはどういうことか』という、根本的で、しかもある意味では致命的な問いが、まさに『詩を書き』『詩を読む』ことにおいて、みずからをあらわにしはじめている。」と言っていたこと、そしてここでは長くなるから引けないが、「作品のおけいこ」という副題をもった「売家を一つもっています」というような〝作品〟（この〝作品〟はフランス語の教科書にのっている例文を、ただ訳したものを〝詩〟として提示した〝作品〟である）を書いていたことを考えてみていただきたい。「『詩を書くとはどういうことか、詩を読むとはどういうことか』という、根本的で、しかもある意味では致命的な問い」が、彼の中に生じてきてしまうのは、「詩を書」いたり、「詩を読」んだりする欲求を彼が欠いていて、それらへの興味・関心がないからであって（だから彼は、なんとも不思議なことなのだが、それらにいやいやながらかかわっているのである）、上述の〝作品〟にしても、それは、おのずからという形で、〝じかに〝書いたり、読んだりすることができない者が、それらにたえられず、それらを生きようとして必死になって生み出した〝作品〟、だから生の初等科にいる人物が生み出した、内容空疎な、平板きわまりない一〝世界〟だからである。

そして右の事実は、彼が、先程から触れている「詩についての三つの断章」や『詩の構造についての覚え書』の中で、「ひらき直って言えば、詩においては、戦略論と本質論とは、元々、別のものではあり得ない。」とか、「《至高点》において持続する《言葉関係》というものをぼくたちはついに信じ得ない。」とか言っていたり、次のような「焦慮のうた」と題する〝作品〟を書いたりしていた事態を考えても明らかになってくる。戦略論と本質論とが、彼において、一つになってしまうのは、

〔焦慮のうた〕

長い
絶え入るような
泣き声
聞くこと
できるんじゃないか
いくらかは
なぐさめるでしょう
毎日
銅貨のおもん
生存
命じてます
行くこと
できません
ああ
銅貨
裏
ないのです
時鐘の綱
砂の嵐
おしよせた時
夜
僕
この銅貨
投げつけてやります
きっと

「本質」・「至高点」が、彼にはわかっていないからであって、上述の〝作品〟も、おのずからという形で、初めと終わりをもった世界を持ちえない（生きえない）者が、自分に残されているわずかな力（生命力）を利用して必死になって生み出した、まさに内容皆無の、平板きわまりない一〝世界〟だからであって、その事実は、彼が「私はいつまでも名誉ある『にせもの詩人』でありつづけたいと願っている」（「詩についての三つの断章」）と言っていた事態と符合してもいるからである。

（四）詩と主観としての「私」の「無化」
―生と存在の確保を求めて

それ故、右の事実を踏まえれば、知性は、世界や、そこの諸事物、諸事象の対象化を介して、私たちに対して深い恩恵をもたらしたが、私たちの前には、冗談でなく、非現実的な美さえ生きえない、知性の荒野がひろがっていると言えることにもなってくるが、その事実を考える時、私の中には、たとえば辻邦生の、小説をめぐる次のような叙述がきわめて深い意味をおびて浮き上ってくる。

物語は時間的、もしくは因果的に逐一その全体を伝達する形式だから、そこには当然はじめがあり、おわりがある。そしてその物語全体を了解するためには、この一連の伝達がはじまってから終るまで、意識は、自らを無化して、そこに超越論的な地平を保たなければならない。意識に対して、事物が存在するためには、意識が自己を超出（無化）して、明在の場をつくる必要があるからである。意識が自己を意識し、また集中をさまたげられて、事物から事物へさまようとき、われわれはその対象を完全に「有」にもたらすことはできない。（『小説への序章』）

右で述べられているのは、物語を前にした折の私たちの体験だが、私たちが現実に生きている世界も、物語と同様、始めと終わりをもった、有限な一世界だということ、従ってその事実を踏まえれば、その文では、対象化する、知的認識の主観としての「私」の「無化」が、私たちをして物語へ参加させたり、そこでの諸事物、諸事象をも存在させたりするとされているのだから、その文は、これまで見てきた諸詩人、諸文学者の知性的なあり方とは異質なあり方、だから主観としての「私」の「無化」を介して、失われた世界や生・存在の獲得、確保をめざしているあり方を説いていると言えるからである。

つまり、彼も、知的認識がもつ意味を認めないわけではないが、彼は、それがもたらす弊害を、今私たちが立ち向かうべき問題として把えているということ、そしてその解決を、彼は、ハイデッガーやフッサールの主張を踏まえつつ（というのは、彼の語る「超越的地平」とは、普段の、私たちの意識的な自己を「無化」したところに生じる地平として、ハイデッガーやフッサールが語る「脱自」や「無」、「絶対的主観」を踏まえつつ語られている）、主観としての「私」の「無化」に求めているということ、そこに彼の詩人・文学者としてのあり方・主張の特質があるように思われてくるからである。

そしてその事実は、彼が「言語と小説の宿命」の中で、「知的認識、事物の対象化」をめぐって、「その批判が、同じ知的認識によってなされるかぎり、それは、なんらの有効性を持たない」と言いながら、「したがってこうした悪しき無限をこえ、有効さを手に入れるためには、かかる文明をうみだした知的認識、事物の対象化を自らのなかで乗りこえながら、その『乗りこえ』によって文明形態を批判するという形をとらなければならなくなる。」と語っていたり、生の探究をめぐって、次のように語ったりしていたことを考えても明らかになってくる。

（生の探究は、筆者）対象的認識の地平で行なうのではなく、あくまで無化された超越的な意識の地平で展開することを意味する。それはちょうど俳優が劇を演じているとき、それを観客席から見るのではなく、それと一つになり、できることなら俳優自身となって、その劇を演ずるようなものである。

前者の主張を、物語に適用するところに、先の文は生まれているし、俳優が演じる劇を、「私」を「無化」しつつ、一心に果している姿こそは、かの三島やヴァレリーの、一状況の中に身を置かない他国者としてのあり方を「無化」するところに生じるあり方、だから、一状況の中に存在しつつ、劇や劇を演じる俳優を〝じかに〟生きているあり方であって、それは、まさにハイデッガーが語るところの「世界内存在」としてのあり方を意味しているからである。

つまり、ハイデッガーの語る「世界内存在」とは、この世に居場所を持たない他国者としてのあり方の否定・「無化」において成立しているのであって、それは、そういうものとして、辻が主張する、詩人・文学者のあるべき姿と符合しているのである。

私たちは先程、『仮面の告白』の主人公が、人生を舞台として把えていた事態を見たが、あるいはここで、その作者三島が、俳優をめぐって、その「楽屋で書かれた演劇論」の中で、「シャイネン（の如く見える）の世界の蠱惑からのがれて、何度でも、ザイン（存在する）の世界、見られることなしに存在するだけで充足してゐる世界へ還つて来なければならぬ、（中略）俳優は舞台を離れたら、いそいで物の世界へ飛んで行つて、そこで人間を取り戻すべきだ。」と言っていたり、辻がその「円形劇場から」の中で、女主人公をして、次のように語らせたりしていた事態を考えてもよいかもしれない。（少し長いが、重要なのであえて引用する）

円形劇場は、夏休みと同じように、日常の生活や時間とは、別個の時間をもっている——それは日常の時間のように流れてゆく時間ではなく、決して流失しない時間、永遠に円を描く時間だ、と、そう思えたんですの。私が俳優になる決心がついたのは、こうした思いに、そのとき、身体の奥底まで貫かれたからでした。私は日常生活を棄てることに未練がなくはありませんでした。でも、私たちがこの円形劇場に入るのは、決して日常生活や人生の興亡に背を向け、それを嫌悪するからではない、と思いますの。少くとも私の場合は、そうじゃなかったと思います。私は、かえって日常の暮しに――愛着を感じるからこそ、それを、もっと全身から愛しうるように、その意味や本当の姿や一回きりのその生の味わいを、この円形劇場のなかで深めるのだ、と、そう思えたんですの。（中略）私はさっき悲運の女王を演じましたけれど、あれは、実は、私が演じたのではなく、悲運の女王が私の中に現われていたのです。女王は、私の姿が消え、見えなくなるだけ、それだけ濃く、実在しはじめるのです。

前者の言葉を語らせているのは、「超越論的地平」皆無の、意識的な人物、だから「私」の「無化」とは無縁の、演技者たるべく呪われているとも言える人物、楽屋を離れれば難なく実人生に戻れることを知らない人物であるし、後者の言葉で語られているのは、それとは逆の、「私」なき「超越論的地平」の重要さを充分にわきまえている人物だからである。

つまり、前者と後者の言葉を分けているのは、主観としての「私」の有無で、その「私」の「無化」、だから「超越論的地平」を踏まえているところに、ハイデッガーやフッサールの主張をも踏まえた上での、辻の主張・あり方の特質・重要さがあらわれているのである。

そしてその事実は、辻が、右に引いた、「円形劇場から」の中の「女王は、私の姿が消え、見えなくなるだけ、それだけ濃く、実在しはじめるのです。」という言葉に続けて、次のように語っていたことを考えても明らかになってくる。

この円形劇場には、こうした形で実在する人物たちに満ちているのです。それを眼に見える形にするため、自分の姿を溶解させ消失させてゆくのが、私たちの俳優の仕事ですの。

右の言葉こそは、主観としての「私」の「無化」を介しての、存在の招来を告げている言葉として、ハイデッガーが語るところの「脱自」を踏まえての、世界やそこの諸事物、諸事象の招来、だから私たち人間を「世界内存在」として把える事態と符合しているからである。

（五）「超越論的地平」としての「無」をめぐって

―存在と東洋の思惟

右で、辻が、ハイデッガーやフッサールの主張を踏まえつつ、主観としての「私」の「無化」を介して、三島とは違って、劇・舞台に実在性を付与、それらを実人生に変貌・変化させていた事態を見たが、私には、その変貌・変化にかけがえのない意味を見出しているところに、辻の——ということは、ハイデッガーやフッサールの、ということにもなってくるが——主張の深さや広さが語られているように思われてくる。夢・幻の如き世界に、無を介して、実在性を付与、かけがえのない意味・生き甲斐を見出して行くところに、東洋の思惟の、一つの大きな特質・特徴があると思われてくるからである。つまり、三島の語る、夢・幻の如き世界に、辻が、対象化する「私」の「無化」を介して、実在性を付与、かけがえのない意味を見出している事態を右で見たが、それこそは、無を介して、変転きわまりない世界に、深い実在性を付与、意味を見出して行く、東洋の思惟の一つのあらわれと思われてくるということ、従って、その事実を踏まえれば、私たちは、辻の主張をめぐって、それは——ということは、ハイデッガーやフッサールの主張は、ということにもなってくるが——東洋の思惟をもそのうちに含んだ深さや広さをもった主張と思われてくるのである。

たとえばここで、その事実をめぐって、禅僧玄覚の証道歌の中の、次のような言葉を考えてみていただきたい。

無明の実性即仏性
幻化の空身即法身

右の言葉は、私たちになじみの『般若心経』の「色即是空、空即是色」と重なりもするが、通常では結びつくことのない「無明」と「仏性」、「幻化の空身」と「法身」とを一つに結びつけているのは、相対の母胎としての「私」の「無化」だからである。つまり、相対という現象の底には、「私」の誕生にともなう、主客の相対という現象が潜んでいるということ、従って、主客の主が消えれば、相対そのものが消滅するということ、よって、上記の差異を超えての同一化を導き出しているのは、「私」の「無化」と言えるのであって、そこに、辻の主張が、東洋の思惟を体現するような事態も生じてきているのである。

そしてその無・「無化」が、東西の思惟に対して果している働きは、たとえばハイデッガーが自分の所説を展開するにあたって、アンゲールス・シレジウスの「薔薇は何故無しに有る。それは咲くが故に咲く」という言葉に言及していたり、禅僧百丈が「仏教において奇特なことは何か」と問われた時、「独坐大雄峰」と答えたりしていた事態を考えても確かめられる。前者の言葉のうしろには、無根拠としての存在の、無を介しての、自由自在という事態が潜んでいるし、後者の言葉が語っている自在のうしろにも、これまた存在の無根拠という事態が潜んでいるからである。つまり、それらの言葉は、ともに、無を介して、無根拠を自在にかかえている点において——ということは、無意味な存在にかけがえのない意味・実在性を見出している点において、ということにもなってくるが——通底しているということ、従って、その事実を踏まえれば、東西の思惟の同一性を生み出しているのは、「私」の「無化」、つまり無と言えることになってくるのである。

あるいはここで、私たちがよく知っている建礼門院右京大夫の次のような歌を考えてもよいかもしれない。

今や夢　昔や夢と　まよはれて　いかに思へど　うつつとぞなき

右の歌が、『仮面の告白』の主人公の、実人生を舞台として把えるとらえ方と重なっているという事態を踏まえれば、そこで歌われている「うつつ」なき状態を、「私」の「無化」を介して打破、そこに世界や生・存在を奪回、確保しようとしたのが、辻やハイデッガー、フッサールと言えることになってくるし、東洋の思惟も、これまたそれと同じく、そこで歌われている、生・存在のはかなさを、それと認めつつ、「私」の「無化」を介して、それらを「仏性」のあらわれ、「法身」として把えるところにその特質があると言えるからである。

それ故、辻の主張が、知的認識や、それによって導き出されている、世界や生・存在の危機を見つめての主張であったという事実を踏まえれば、辻の主張をして、東洋の思惟を体現させていたのは、今私たちが直面している、世界や生・存在の危機と言えるし、それはまた、東洋の思惟の、現代における重要さをも物語っている、と言えることにもなってくるが、今右で見た、辻の主張と東洋の思惟との符合は――ということは、辻が踏襲しているハイデッガーやフッサールの主張と東洋の思惟との符合は、ということにもなってくるが――、究極的には、それらがともに、絶対の体験をその背後に所持しているという事態に行き着く。辻の語る「超越論的地平」とは、ハイデッガーの「脱自」を踏まえ、主客の相対が消える地平を意味しているが、その消滅は、仏教の、相対的な分別の主体としての「私」の消滅と同様、相対が絶対に遭遇するそこに生じるからである。（この絶対の体験

が、西欧の近代が、主客の分化を代償として失った絶対の奪回を意味することは、後述）

そしてその事実を、私たちは、たとえばニーチェの、霊感体験をめぐる、雄弁きわまりない、次のような言葉によっても確かめることができる。

一九世紀末の今日、昔の強い時代の詩人たちが霊感と呼んだものについてはっきりしたことがわかっている人があるだろうか？　誰もわかっていないというなら、私がその状態を記述してみよう。——この状態になると、ほんの少しでも迷信の粕を体内に残し持っている人間なら、実際、自分は圧倒的な威力の単なる化身、単なる口、単なる媒介にすぎぬという想念を払いのけることはまずできないだろう。啓示という概念がある。筆舌に尽くしがたいほど確実に精妙に、何かが、人をして深く動揺せしめ感動せしめるような何かが、突如見えてくる、聞こえてくるという意味だ（中略）聞くだけで、捜し求めることをしない。受け取るだけで、誰がくれるのかを問いはしない。稲妻のように一つの思想がきらめく、必然性をもって、ためらいを許さぬ形で——私はいまだかつて、どうしようかとためらって、どっちかに決めるというようなことをしたことがない。まさに一つの恍惚境である。（中略）一つの完全な忘我の境にありながら、爪先に至るまで無数に小刻みに震え、ぞくぞくしているのをきわめて明瞭に意識している。これは一つの幸福の奥底であり、ここでは最大の苦痛も最大の憂愁も妨げとはならず、むしろ当然生み出されたものの結果、求めておびき出されたもの、このような光の充満している所では一つの必然的な色という役割をする。これはリズム的な諸関係を感得する一つの本能なのだ。（中略）すべてこれらのことが最高度で生ずる。有無を言わせず、しかもまた自由――感情の、無礙自在の、かの、神性の嵐の中におけるがごとく。（理想社・ニーチェ全集9巻所収『この人を見よ・自伝集』）

右で語られている、迷いなき「忘我」の状態こそは、これ以外にない一・絶対に触れての、相対消滅の状態として、辻が語る「超越論的地平」とは勿論のこと、東洋の思惟が尊ぶ、無我無心・無念無想の無と重なるし、その「完全な忘我の境にありながら」、その状態にいる自分を「きわめて明瞭に意識している」あり方も、これまた鈴木大拙が語るところの、〝無分別の分別〟と重なりもするからである。

つまり、右のニーチェの言葉は、絶対に触れての、相対的な分別・自我の消滅を告げている言葉として、辻の語る「超越論的地平」・東洋の思惟が尊ぶ無との、絶対を介しての同一性・共通性を物語っているのである。

そして右の事実は、彼が、自分の霊感体験を踏まえつつ、『ツァラトゥストラ』（全集9巻所収）の中で、「わたしにとって――どうしてわたしの外などがあろうか？　なんらの外もないのだ。」と言っていたり、次のように語ったりしていた事態を考えても明らかになってくる。

> 「慮《おもんぱか》らずして」――これこそ、この世界の最も古い高貴さである。この高貴さを、わたしは一切の諸事物に取りもどしてやった。わたしは諸事物を目的への隷属から救済してやった。
>
> ところで、これがわたしの与える祝福である、すなわち、あらゆる事物の上に、その事物自身の天空として、その丸い屋根として、その紺碧の鐘と永遠にわたる保証として、かかることだ。かくて、このように祝福する者は、さいわいだ！
>
> というのは、一切の諸事物は、永遠という泉において、そして善悪の彼岸において、洗礼を施されているからである。

初めの言葉は、「私」の「無化」を踏まえての言葉として、辻が語る「超越論的地平」とは勿論のこと、禅僧が語る「内外打成一片」と重なるし、あと二つの言葉も、「私」の「無化」を介しての、諸事物の「救済」・成仏を伝える言葉として、先に見た、アンゲルス・シレジウスが描くところの、薔薇の自在の姿や、百丈の「独坐大雄峰」と符合しもするからである。

（六）「超越論的」体験と詩的体験
―詩的体験の、現代において持つ意味について

右で、「強い時代の詩人たちが霊感と呼んだものについて」の、ニーチェの記述を見たが、そこで述べられていた事実を踏まえれば、その記述は、現代において詩や詩人が果すべき課題、役割をも告げてくる。私たちは、辻が、知的認識の果てに生じている、世界や生・存在の喪失を見据えつつ、それらの奪回、確保を「超越論的地平」に求めてきた事態を見てきたが、詩人を詩人たらしめている、絶対の体験こそは、辻の語る「超越論的地平」の母胎でもあったからである。つまり、辻が語る「超越論的地平」と、詩人を詩人たらしめている体験とは、絶対において通底しているのであって、そ

こより、前者が負っていた課題、だから、世界や生・存在の奪回と確保という課題が、詩や詩人の負うべき課題となるという事態も生じてくるのである。

そして私たちは、その事実を、たとえば辻が、「私」の消えたところに生じる「世界内面空間」を尊んでいたリルケに対して深い共感を示していたり、キーツの「詩人には不変の属性といったものはありません。自分自身がないのです。」という言葉をめぐって、次のように語ったりしていた事態によっても確かめることができるのである。(引用は、『小説への序章』に依る)

ここでキーツが体験しているのは、自分が無になった感覚、あらゆる存在を現前させる単なる場にすぎないという感覚である。全き透明な存在、純粋の「明るさ」となった存在、決して自らを意識しない存在、そしてまたそれ故に善悪も美醜もともに存在せしめる存在——そうした存在に転化したという実感である。これはまたキーツ自ら negative capacity と呼んでいるものと正確に呼応するが、それはいわば完全な自己の透明化によって、あらゆる存在のなかに遍在する能力、ともいうべきものであろう。

このような自己を、われわれはかりにここで「大いなる自己」と呼べば、それは「小さな私」が対極に客観的な外界をもつのに対して、この「小さな私」と「外界」との対立を内在的に超出した存在と考えることができる。「悪しきロマンティーク」つまり内面への撤退と、外界の病的な想像肥大とが、あくまでこの対立的な「小さな私」を逃れられぬ結果であるとすると、「明るさ」を保つ場としての「大いなる自己」は、このおのずからなる捨身の果に実現するものにほかならない。

リルケの語る「世界内面空間」とは、絶対に遭遇、相対的な「私」が消えるところに生じる空間として、辻が語る「超越論的地平」とは勿論のこと、ひとをして詩人たらしめる体験と重なるし、キーツの言葉をめぐっての辻の言葉は、ハイデッガーが説く「脱自」とは勿論のこと、先に見たニーチェの言葉や、東洋の思惟が語るところの「唯我独尊」という事態、つまりは、〝聖人にわれなし、われなきはなし〟という事態と符合しもするからである。つまり、右の辻の言葉が、ハイデッガーの語る「脱自」や、ニーチェの先の言葉、更には東洋の思惟が尊ぶ、無心無我、無念無想の無と符合するのは偶然のことではなく、それは、辻の説く「超越論的地平」と、ひとをして詩人にさせる体験とが、ともに絶対を有しているそこより生じている事態で、それ故それは、詩や詩人が、現代において負っている課題、負うべき役割を語っていると言えることになってくるのである。

あるいはここで、右の事実に関して、全体性を追い求め、それを把握したプルーストに対して、辻が、リルケに対してと同様、深い賞賛と共感とを呈していた事態を考えてもよいかもしれない。全体性とは、世界やそこの諸事物、諸事象に対して、距離をとりつつ、分析的にしか接しえない知的認識を拒否、それらを、有機的な意味の連関のもとに把握するところに生じるが、それこそは、プルーストの次の言葉を考えてもわかるように、「私」の「無化」を介しての、相対的な、多としての個物を貫く一・絶対の把握を意味しているからである。（引用は、新潮社『失われた時を求めて』に依る）

理知が白日の世界のなかで、直接に、透きうつしに、とらえるような真理は、人生がある物質的な印象によっていつのまにかわれわれに伝えてくれた真理よりも、はるかに深みのない、はるかに必然性の欠けたものをもっている。

単なる理知のみによって形づくられた思想は、論理的な真理、可能な真理しかもたない。（中略）といってわれわれの形づくる思想が論理的に正しくないというのではない。真実かどうかわからないというのだ。

啓示がくだってわれわれを救ってくれるのは、往々にしてすべてが失われたと思われる瞬間にである。あらゆる扉をたたき尽したけれど、みんなふさがっている。たった一つはいることのできる扉、百年かかって捜し求めてもむなしかったであろうような扉に、ふっと知らずにつきあたる。と、それはおのずから開くのである。

つまり、辻とプルーストとを結びつけているのは、相対的な「私」の「無化」なくしては、一・絶対の把握はありえないという事態、人為をもっては、一・絶対は把えられないという事態なのである。

そして右の事実は、ボードレールが「リヒアルト・ワグナーと『タンホイザー』のパリ公演」の中で、「事物は、神が世界を複合した分割できない全体として定めたもうた日以来、つねに相互的な類縁 analogie によってあらわされてきたのである。」（引用は、人文書院・ボードレール全集に依る）と語りながら、その言葉を証明するものとして、詩篇「万物照応」の初め二連を引用した事実を考えても確かめられる。その事物の把え方を踏まえれば、詩篇「万物照応」の母胎は、絶対的な一者としての神の意向や、その意向を踏まえての、事物相互間の「類縁」の発見と言えることになってくるし、彼が体現している〝象徴〟の背後にも、相対的な個物を貫く一・絶対の把握が潜んでいるからであって、それらの事態は、一・絶対の把握を踏まえつつ、『華厳』が説く、事々無礙や理事無礙と重なりもするからである。

あるいはここで、今一つ、ランボオが、自分を詩人にさせもした「見者」の体験をめぐって、デカルトの「われ思うゆえに、われあり」を否定、無我を主張しつつ、「知的認識を失ってしまった時」（筑摩書房・世界文学大系43所収、ポオル・ドゥムニ宛、一八七一年五月十五日付書簡）、それになれると語っていたことを考えてもよいかもしれない。それは、事物の客観的な把握とは全く別の、「私」の「無化」による、事物の〝じか〟の把握を意味しているからであって、その「私」の「無化」による「見者」の発見は、これまた禅僧慧海の次のような言葉と符合してもいるからである。

見るものも見られるものもなくして見る、それが正しく見るということだ。……もしそのように見るものも見られるものもなくして見うるとき、それを仏の眼という。（筑摩書房・世界古典文学全集36Ａ『禅家語録Ⅰ』所収『頓悟要門』）

要するに、これまでの叙述を踏まえれば、対象的認知の母胎としての、知性の知は、それまで、〝おのずから〟という形で生きえていた世界から離脱、それを対象化するところに誕生するが（その過程は、既述の如く、人間の、反抗期を経ての、父母が営む家庭からの独立と重なる）、それは、それまで自分が居場所を持ちつつ、その中で生きてきた世界を、自分にとって意味のないもの、だから夢・幻として把えることを意味しているということ、そして知性は、その現実を前にして、自分を力と認知して（ベーコン、「知は力なり」）、世界の建設、つまりは、疎外の克服を目指すが、問題は、知が、〝おのずから〟という形で世界の中に生きえていた、自己の母胎を忘れて、自己を世界創造の主人と過信し、自己の対象化能力をのみ頼りにするところにあるということ、従って、辻が語る、相対的な個物としての「私」（知の主体としての「私」）の「無化」において成立する「超越論的地平」も、それが、一・絶対の体験を踏まえ成立しているという事態を踏まえれば、知がその誕生と同時に失った、世界や生・存在の、一・絶対を介しての奪回、確保を目指しているということ、そしてそれは、そのまま、東洋の思惟や詩的体験が今においてもつ意味を語っていると思われてくるのである。それら二つも、既述の如く、一・絶対を踏まえ成立していたからである。

生命《いのち》の危機と唯美ということ

――ニーチェの『悲劇の誕生』をめぐって

（一）　ニーチェが把えた、古代ギリシア人の生のあり方

『悲劇の誕生』は、一八七二年の年頭、『音楽の精神からの悲劇の誕生』という表題のもとに出版された、ニーチェ二十七歳の折の著作である。

それは、発表時、歴史的な一事象を対象としていながら、自己の世界観の吐露に性急で、さながら後者のために前者を利用しているかのようなところがあって、学会よりその価値を充分に認められなかったが、それは、それなくしてはその後の彼の重要な著作『ツァラトゥストラ』を語りえな

かったり、わが国の詩人西脇順三郎が、若き日、渡英に際して、それと『ツァラトゥストラ』の二冊を携えていったと語ったりしていたそれらの事実を考えてもわかるように、ニーチェのみならず、私たちにとっても看過しえない大切な意味をもっている。

それ故、それらの事実をも念頭におきつつ、その著作に触れてゆきたいが、それをひもといて、まず心惹かれるのは、その中にある、彼の次のような言葉である。（引用は、理想社・ニーチェ全集に依る）

存在と世界は審美的な現象としてのみ永遠に是認せられている

「存在と世界」が、「審美的な現象としてのみ永遠に是認せられている」ということは、その美なくしては、「存在と世界」は、あってなきがごときもの・意味のないものとしてあるということ、だからそれらは、その美によって、やっと支えられ成立していることを物語るとともに、その美もまた、虚無・暗黒に囲繞された美であることを物語ってくるが、その美こそは、ニーチェが、同じところで、「壮麗なオリンポスの神々」をめぐって、次のように語っていた事態と符合しているからである。

ギリシア人は生存の恐怖と戦慄を知り、かつこれを感じていた。そもそも生き得るためには、ギリシア人はそれらの前に、オリュンポスの神々という燦然たる夢の産物を置かざるを得なかったのである。

右で述べられている「夢の産物」こそは、「生存の恐怖と戦慄」の「産物」として——ということは、これ以上生きえないかもしれないという事態を前にしての「産物」として、ということにもなってくるが——、右で見た、現実の諸事物、諸事象に意味・必然性を見出しえない虚無・暗黒の中での美と符合しているからである。つまり、その両者は、ともに現実性を欠いた非現実性において共通しているということ、その共通性を生み出しているものこそは、これ以上生きえないかもしれない、「生存の恐怖と戦慄」に他ならないのである。

そしてその事実は、ニーチェが、右の言葉を語るその直前に、「ギリシアの民衆の叡智」を語る言葉として、ディオニュソスの従者シレノスの、ミダス王より「人間にとって最善最上のことは何であるか」と問われた時の、次のような言葉を記していたことを考えても明らかになる。

哀れ、蜻蛉の生を享けし輩よ、偶然と艱苦の子らよ、汝にとって聞かぬがもっともためになることを、何とて強いて俺に語らせるのだ？　汝にとって最善のことは、とても叶うまじきこと、すなわち生まれなかったこと、存在せぬこと、無たることだ。しかし汝にとって次善のことは、――まもなく死ぬことだ。

右の言葉こそは、「生存の恐怖と戦慄」を前にしての言葉、だから生きることとの困難ないし不可能を前にしての言葉だからである。

あるいはここで、右の事実に関して、ニーチェがギリシア人をめぐって、「あれほど敏感な感受性を持ち、あれほど強烈に欲望し、苦悩することにかけてあれほど無比な能力を持ったこの民族が、もし彼に生存が、より高い栄光に包まれてその神々のなかに示されなかったとしたら、どうして生存に堪えることができたであろうか？」と語りながら、次のように述べていた事態を考えてもよいかもしれない。

生き続けるように誘惑する生存の補充および完成としての芸術を生み出すこの同じ衝動が、またオリュンポスの世界を生ぜしめたのであって、ギリシア的「意志」は、この世界を聖化の鏡として、己が姿を写し見たのである。……かかる神々の燦々たる陽光の下における生存は、それ自体努力して獲得するに価するものとして感ぜられる。そしてホメロス的人間の真の苦痛は、生存からの別離、なかんずく早急な別離に関する。それ故に彼らについては、シレノスの叡智を逆にして、「彼らにとって最悪のことは、間もなく死ぬことである。その次の悪は、ともかくいつかは死ぬことである」と言うことができよう。

傍点をふったのは筆者であるが、その言葉こそは、虚無・暗黒の中での、非現実的な美を介しての、劇的とも言える、生の救済・確保を物語っているからである。

（二）その生の把え方の、普遍性をめぐるニーチェの主張

それ故、右の事実を踏まえれば、私たちは、ニーチェの『悲劇の誕生』をめぐって、それは、生の喪失の危機にさらされた中での、非現実的な美による、それからの救済・確保を意味すると言えることにもなってくるが、心惹かれるのは、私たちは右で、ニーチェが、美による、生の救済・確保をめぐって、それを「ギリシア的『意志』」のあらわれとして把えている事態を見たが、それは、

彼が当時信奉していたショーペンハウアーの世界の把え方、具体的に言えば、表象・現象を「生きんとする意志」・物自体の個別化として把える事態を踏まえているということ、従ってその事実を踏まえれば、ギリシア人の、美による、生の喪失の危機よりの救済の本当の主体は、ショーペンハウアーが説くところの「生きんとする意志」と言えることになってくるし、その事実はまた、ニーチェのギリシア悲劇論が、自分の生の喪失の危機を踏まえた上での、生全体の危機の表明と言えることにもなってくるということである。「ギリシア的『意志』」は勿論のこと、ニーチェの意志も、「生きんとする意志」の個別化において生じていると見做せるからである。

そしてその事実は、彼が個別化の原理をめぐって、「この原理においてのみ、根源的一者が永遠に追求する目標、すなわち、仮象によるその救済が達成されるのである」と言っていたり、「主観的なるものと客観的なるものという対立が、芸術にはおよそ不適当なものである」と呟きながら、それに続けて次のように語ったりしていた事態を考えても明らかになってくる。

自己の利己的な目的を助長する、意欲する個人というものは、ただ芸術の敵としか考えることのできないものであり、芸術の起源とは考えることのできないものだからである。しかしながら主観が芸術家である限り、それはすでにその個人的な意志から救済されており、かの一つの真に存在する主体が仮象における自己の救済をそれを通じて寿ぐいわば媒体になっている。というのは……芸術の全演劇は断じてわれわれのために、例えばわれわれの改良、教化のために上演されるのではないからである。否、われわれはまたかの芸術世界の本来の創造者でもないからである。……すなわち、われわれはかの芸術世界の創造者にとってはすでに形象であり、芸術的な投影なのであって、芸術作品としての意義こそわれわれの有する最高の尊厳である。

初めの文中にある「根源的一者」とは、生あるものをそれたらしめる母胎としての「生きんとする意志」を意味しているし、後者の文中の「一つの真に存在する主体」や「芸術世界の本来の創造者」、更には「かの芸術世界の創造者」も、同じく「生きんとする意志」の真の体現者として「根源的一者」を意味してくるからである。

つまり、ニーチェの語る「根源的一者」とは、先に見た、シレノスの苦悩を自己のうちにかかえているがゆえに、美による救済を求めざるをえない、美的な芸術家を意味しているのであって、先に見た、ギリシア人の、美を介しての救済を求める姿こそは、その「一者」の、個別化された一現象・一仮象の姿に他ならないのであって、そのうしろには、根源的な形で、生の喪失の極限にさらされているゆえに、美にしか救済を求められないニーチェそのひと、だから世界を美的にしか把えられないニーチェそのひとがいるのである。

あるいはここで、右の事実に関して、彼の次のような言葉を考えてもよいかもしれない。

われわれはこれまでアポロン的なるものとその対立物たるディオニュソス的なるものとを、自然そのものから人間の芸術家によって媒介されることなく迸り出る芸術力として、自然の芸術衝動がそこでまず手近にかつ直接的な方法によって満足させられる芸術力として観察してきた。一方をば、その完全性が個人における知性の高さや芸術的教養とは一切渉わるところなき、夢の形象世界として、他方をば、これまた個人には目もくれず、むしろ個人を破壊し、そしてこれを一つの神秘的な一体感によって救済せんと努める陶酔的な現実としての自然のこれらの直接の芸術状態に対するとき、いかなる芸術家も「模倣者」である。ただしアポロン的な、夢の芸術家であるか、あるいはディオニュソス的な陶酔の芸術家であるか、あるいは最後に——例えばギリシア悲劇におけるように——同時に陶酔と夢との芸術家であるか、そのいずれかである。

「自然」こそは万物の母胎としての「一者」、だから、他に依らず、「おのずから」という形で、「しかり」としてある「一者」を意味しているからである。

つまり、先の文と、右の文とが符合するのは偶然のことではなく、万物の母胎としての「一者」が、ニーチェのなかにおいては、同じく「芸術家」として存在しているからで、そこから、全世界が、「一者」の「芸術作品」となったり、人間がそれの「形象」となったり、それの「芸術的な投影」となったりする事態も生じてきているからである。

あるいはここで、今一つ、右の事実に関して次のような言葉を考えてもよいかもしれない。

ディオニュソス的な現象が、個体の世界の遊戯的な建設と破壊とを、根源的快楽の溢出として繰り返し新たにわれわれに顕示するのであって、それは、暗い人へラクレイトスによって、世界を形成する力が、戯れにさまざまに石を置き変えながら砂山を積み上げてはまた崩している小児に喩えられているのと相似ている。

「ディオニュソス的な現象」とは、生の苦悩をすら快として受容、生きようとする「根源的一者」の「現象」を意味しているが、右ではそれが、「個体の世界の遊戯的な建設と破壊」の母胎として把えられているからである。つまり、ニーチェの、美の形而上学とは、万物の母胎としての「生きんとする意志」として形造られているということ、そこに、「現象」を超えた美の形而上学が形造られているのである。

（三）　ニーチェの把えた古代ギリシア人の生のあり方と、私たちの生のあり方

右で、ニーチェが、ギシリア悲劇を、危機にさらされた生と存在の、美による救済の物語として把えていたこと、そしてその事実を介して彼がまた、美の形而上学を展開していたことをも見たが、それらの、美による救済は、特殊なものではなく、私たちにとってもごく身近なものとして存在している。

そしてその事実は、私たちの生のみならず、ニーチェの思想を考える上でも大切な意味をもった事実なので、以下触れたいが、たとえば、私たちにとってなじみの詩人、西脇順三郎が「詩と眼の世界」や「脳髄の日記」で、次のように語っていた事実を考えてみていただきたい。

一片の板を見てもただ板の与える視覚的な意味だけをうける。それは死なんとする人の眼に映ずる最後の存在の形式である。

私が自分で詩をつくることを好んだのはなぜだろうか。自分の脳髄の中にしか生きる道がなかった。脳髄の中につくられる詩の世界にだけ生きる他に方法がなかった。

「死なんとする人」とは、この世における居場所・存在拠点を失いつつあるひとを意味しているが、その居場所・拠点の喪失という事態こそは、「脳髄の中に」作られる「詩の世界」にしか生きえない事態を生み出している母胎であって、その西脇の姿は、ニーチェが、ショーペンハウアーを念頭におきつつ語るギリシア人の姿、つまりは、自己の居場所もなく、荒海の中を翻弄されつつ、非現実的な「夢想」をたよりにやっと生きているギリシア人の姿と符合しているからである。

つまり、現実の場における存在拠点・居場所こそは、私たちの生を可能にする行為・行動の拠点でもあるということ、従って、西脇が「脳髄の中につくられる詩の世界」にしか生きえなかったり、ニーチェが描くところのギリシア人が、非現実的な「夢想」をたよりにしてしか生きえなかったりしていたのは偶然のことではなく、その結果と言えるのである。

そしてその事実は、ニーチェが描くところの、暗さにも負けず、はつらつとして生きるギリシア人とはちがって、西脇がたとえば次のように語ったりしていた事態を考えてもなお主張できることなのである。

ポエジイは人間の救済である。しいたげられている人たちや世をはかなむ人たちを精神的に救済することになる。マルクスは物質的に救済しようとした。（『詩学』）

その両者の差異は、「生きんとする意志」と、それをはばむ障害との関係の差異より生じているからである。つまり、ニーチェの把えたギリシア人は、ニーチェそのひとの個人的な状態を反映して、障害にまけない「生きんとする意志」の強いひととして把えられているのに対して、西脇はたまたまその「意志」の弱いひととして存在していたということ、そこより右の差異も生じてきているということ、従ってその差異は偶然的なもので、彼らはともに、この世における居場所・存在拠点の不安定なひと、だから生の危機をかかえていたひとと言えることにもなってくるのである。

そしてその事実は、あとでも触れるが、ニーチェが、『悲劇の誕生』の執筆後、しばらくの間、美への志向を失い、虚無・暗黒の中へ沈んだり、『ツァラトゥストラ』の中での、ツァラトゥストラとその影との、次のような会話を考えても確かめられる。

《どこにあるのか——わたしの家郷は?》わたしは現に自分の家郷を尋ね、捜し求めているし、また従来も捜し求めてきたが、わたしはそれを見いださなかった。おお、永遠に、あまねく捜し求め、おお、永遠に、どこにも見いださぬ、おお、永遠の——徒労よ!

このように影は語った。そしてツァラトゥストラは、影の言葉を聞いて悲しそうな顔をした。「そなたはわたしの影!」と、彼はついに、悲しみをこめて言った。

初めの事実は、ニーチェの、ギリシア人の把え方の一時性を告げているし、後者の言葉は、西脇の次のような述懐とピタリと符合しているからである。

放浪者である以外に、ぼくなんかいうのはどうにもしょうがない。（「芭蕉の俳句」）

村から村へとさまよいつづけた「放浪人」は淋しかったろう。（中略）そして、放浪しながら、絶えず故郷のことを思っている。けっきょく、放浪と故郷とは相反するもので、この両者のあいだに、詩がつくられていくのである。（「先史俳諧」）

つまり、彼らふたりが身にまとっている唯美性は、彼らがともに、この世における存在拠点・居場所を喪失しているそこより生じている事態で、彼らのその唯美性は非現実性において通底しているのである。

それ故右の事実を踏まえれば、私たちは、西脇がその若き日、渡英に際して、『悲劇の誕生』と『ツァラトゥストラ』の二冊をたずさえて行ったことをめぐって、それは、西脇が、ニーチェと同様、生と存在の喪失の危機にさらされ、美に救済を求めていたその結果と言えることにもなってくるが、右で見た事実は、西脇と同様、私たちにとってなじみの一人物、三島由紀夫をとおしても同じく見ることができる。
たとえば彼の次のような言葉を考えてみていただきたい。

もう一度原子爆弾が落つこつたつてどうしたつて、そんなことはかまつたことぢやない。僕にとつて重要なのは、そのおかげで地球の形が少しでも美しくなるかどうかといふことだ。(『私の遍歴時代』)

言葉さへ美しければよいのだ。さうして、毎日、辞書を丹念に読んだ。(「詩を書く少年」)

右の言葉のうしろには、「『憂国』の謎」の中で、自分の俳優としての出演をめぐって、「いはば私は、不在證明《アリバイ》を作らうとしたのではなく、その逆の、存在證明をしたい、といふ欲求にかられたのである。」と語っていた彼がいるからである。
つまり、三島は、外見的には、この世に身を置きながら、自分がそこにいるのかどうかわからないひととして存在していたということ、だから美なくしては生きえないひととして存在していたのであって、そのあり方は、さながら、シレノスの語る闇の中を、非現実的な美をたよりに生きていたニーチェや、ニーチェの把えたギリシア人の姿と言えるのである。

そしてその事実は、彼の次のような言葉を考えても明らかになってくる。

人生は舞台のやうなものであるとは誰しもいふ。しかし私のやうに、少年期のをはりごろから、人生といふものは舞台だといふ意識にとらはれつづけた人間が数多くゐるとは思はれない。（『仮面の告白』）

シャイネン（の如く見える）の世界の蠱惑からのがれて、何度でも、ザイン（存在する）の世界、見られることなしに存在するだけで充足してゐる世界へ還つて来なければならぬ。（中略）俳優は舞台を離れたら、いそいで物の世界へ飛んで行つて、そこで人間を取り戻すべきだ。（「楽屋で書かれた演劇論」）

人生が舞台にしか見えないのは、外見的には、現実の場に身を置きながら、実際にはそこに居ないからであるし、後者の文中にいるのも、舞台を離れれば、「おのずから」という形で人間に戻れることを知らない一人物、だから自分の意思とは無関係に俳優として以外生きることができない、生と存在の喪失にさらされている一人物であるし、その姿は、実人生・現実の世界を、芸術上の演技の場・悲劇の場として把えていたニーチェその人の姿と符合しているからである。
あるいはここで、三島の語る、次のような言葉を考えてもよいかもしれない。

その穴（防空壕の穴—筆者）から首をもたげて眺める、遠い大都市の空襲は美しかつた。焔はさまざまな色に照り映え、高座郡の夜の平野の彼方、それは贅沢な死と破滅の大宴会の、遠い篝のあかりを望み見るかのやうであつた。（『私の遍歴時代』）

沢庵を二切れそへた髷だらけの飯を、看護婦はぱくぱくと喰べだした。人間が御飯をたべるといふ習慣がこれほど無意味に見えたことはなかつたので、私は目をこすつた。やがてかうした観方が、私が生きる欲望をすつかり失くしてゐることに由来してゐるのを私はつきとめた。（『仮面の告白』）

「贅沢な死と破滅の大宴会」の中の「篝のあかり」こそは、生と存在の喪失の危機にさらされたニーチェや、彼が把えたギリシア人が、仰ぎ見ていた、非現実的な美であったし、後者の文も、これまた、生と存在の喪失を告げているからである。

そして右で見てきた諸事実は、三島と、思想的に近い関係にあった保田與重郎の次のような言葉を考えても確かめられる。

どんな詩も勇敢な兵士の捨身の描く詩には及ばない。（「セルゲイ・エセーニンの死」）

事変の地盤を問うて、事態を楽観すべきか悲観すべきかを考へるには、私はすでに史興と詩趣を感ずる詩人でありすぎる。（「アジアの廃墟」）

現実の場における、善悪、正邪を度外視しての、その美への没入は——ということは、現実への無関心や無感覚、その冷酷さは、ということにもなってくるが——、美なくしては生きえない唯美として、極限的な限界状況を前にしての、ニーチェや、彼が描くところのギリシア人が体現していた唯美だからであって、その事実は、保田の次の言葉を考えても明らかになってくるからである。

わが戦争文学は事件と経過と政治と経済を忘れたときの詩に成立する。（中略）この戦争の意義得失目的の類は、国際連盟的論理の任意に考へるところである。我らにすれば、詩があるか善があるかそれが問題である。（「北京」）

戦争は誰が考へて行つたか私は知らない。ただ征戦である。（「蒙疆」）

右の文に見られる、現実への無感覚・無責任は、外見的には現実の場に身を置きながら、実際にはそこに身を置いていないその存在喪失・居場所の喪失より生じているからであって、その姿は、現実を美的にしか把えられなかったニーチェの姿と言えもするからである。

つまり、人間は、常時、内外両面より疎外にさらされているということ、従って、生の安定を前提にした上での唯美は、単なるお遊びで、論外のこととして、上述の事実を踏まえれば唯美とは、先にも触れたことであるが、疎外の極限状態で、非現実的な美なくしては生きえない事態より生じているということ、従ってそれは、だれもが持ちうる、生の一可能性で、そこより、これまで見てきたような、時空の差異を超えた符合も生じてきていると言えるのである。

（四） 虚無と唯美より解き放たれて

右で、ニーチェの唯美性や唯美が所持している意味を瞥見したが、ニーチェは『悲劇の誕生』以後、『反時代的考察』や『人間的、あまりに人間的』などにおいて、美へのとらわれから解き放たれて、自由であることの重要性を強調しはじめる。そしてそれは、生の救済手段たる美を失うこととして、彼が虚無・暗黒の中へと身を沈めることを意味しているが、それは、偶然生じてきたのではない。アポロ的な「夢想」による、生の救済・維持は、シレノスの語る、生の暗さを踏まえれば一時のものであること、だから生は常時疎外にさらされていることは、『悲劇の誕生』において、彼が指摘していた事実だからである。それ故その事実は、彼が所持していた一可能性が顕在化した一事実とも言えるわけだが、心惹かれるのは、彼は、虚無・暗黒の中へと身を沈めつつも、その中で、明るさを把握、そして『曙光』や『悦ばしき知識』などを執筆、その後者において、美を尊びながらも、唯美より脱して、日常の諸事物や諸事象、生活を尊びつつ、次のようなことを語りはじめるという事実である。少し長いが、重要なので以下引用する。

われわれの出会う一切合切のものが絶えずわれわれにとって最善のものとなるということが、手にとるごとく明白となった今では、検証という最善の弁護者を自分の味方につけるようになる。日々刻々の生活は、ただただこの命題を新しく証明しなおす以外に他意ないもののように見える。それが何であれ、かまうことはない、——悪い天候だろうと良い天候だろうと、友人を喪くしたことだろうと、病気だろうと、誹謗だろうと、来信のないことだろうと、足を挫いたことだろうと、ある店舗を覗き見したことだろうと、反対論だとか、本を開いたとか、夢だとか、詐欺だとかいったことだろうと、何でもかまうことはない。そうしたくさぐさのことが、すぐさまあるいはたちどころに、「欠かせない」ものとして証明される、——それらはまさにわれわれにとって深い意味と効用とに充たされたものなのだ！

芸術家に何を見習うべきか。——事物をわれわれにとって美しく、魅力的に、願わしいものとするのに、どんな方法がわれわれにあるだろうか？（中略）われわれは、芸術家たちに見習うべきであるし、しかもその他の点では彼らよりもっと賢くなければいけない。というのも、彼らの場合は、こうした彼らの微妙繊細な能力も、芸術が止み生活が始まるところで立ち消えになってしまうのが通例だからだ。われわれは、しかし、われわれの生活の詩人でありたいと思う、しかも、何よりまず平凡陳腐な日常茶飯事のなかでだ！

「われわれの出会う一切合切のもの」・「くさぐさのこと」が「最善のもの」・「『欠かせない』ものとして証明される」ということは、それらが「われわれの生活」そのものが、かけがえのない意味、だから絶対的で必然的な意味をおびて立ち現われることを意味しているからである。つまり、右の文を踏まえれば、私たちは、彼をめぐって次のように言えることになってくるのである。それまでの彼は、シレノスの語る虚無・暗黒の中に身を沈めながら――ということは、世界やそこの諸事物、諸事象が意味もなく変転・推移するその無常・存在喪失の中に身を沈めながら、ということにもなってくるが――、非現実的な、アポロン的な「夢想」・美をたよりに、生の救済・維持を求めていたが、彼はそこより脱出、日々の生活、日常の一挙手、一投足にも意味を見出すに至っている、と。

では、どうして、どこから、そういう事態は生み出されてきているのか？

その問題は、ニーチェを論じるにあたって、きわめて重要な意味をもつ問題と思われるが、その問題を考えると、私の中に、彼の次のような、二つの言葉が浮んでくる。

ひとつは、前文の少し前にある次のような言葉である。

> 私は、いよいよもって、事物における必然的なものを美と見ることを、学ぼうと思う、――こうして私は、事物を美しくする者たちの一人となるであろう。運命愛（Amor-fati）、――これが今よりのち私の愛であれかし！（中略）そして、これを要するに、私はいつかはきっとただひたむきな一個の肯定者《ヤー・ザーゲンダー》であろうと願うのだ！

右で語られている願望を踏まえ、右で述べられていた事態、繰り返せば、「われわれの出会う一切合切のもの」・「くさぐさのこと」が「『欠かせない』もの」・「最善のものになる」事態は生じてくるからである。

そして今一つは、彼が「昔の強い時代の詩人たち」を念頭に置きながら、自分の体験をも踏まえ述べている、次のような、「霊感」をめぐる言葉である。これも少し長いが、重要なので、以下引用する。

> 一九世紀末の今日、昔の強い時代の詩人たちが霊感と呼んだものについてはっきりしたことがわかってい

る人があるだろうか？　誰もわかっていないというなら、私がその状態を記述してみよう。——この状態になると、ほんの少しでも迷信の粕を体内に残し持っている人間なら、実際、自分は圧倒的な威力の単なる化身、単なる口、単なる媒介にすぎぬという想念を払いのけることはまずできないだろう。啓示という概念がある。筆舌に尽くしがたいほど確実に精妙に、何かが、人をして深く動揺せしめ感動せしめるような何かが、突如見えてくる、聞こえてくるという意味だ。この概念は、神がかりでもなんでもなく、要するに事実を述べているだけのことである。聞くだけで、捜し求めることをしない。受け取るだけで、誰がくれるのかを問いはしない。稲妻のように一つの思想がきらめく、必然性をもって、ためらいを許さぬ形で——私はいまだかつて、どうしようかとためらって、どっちかに決めるというようなことをしたことがない。まさに一つの恍惚境である。時にその巨大な緊張は解けて涙の流れとなり、足の運びもなぜとはなく時に速く時におそくなる。一つの完全な忘我の境にありながら、爪先に至るまで無数に小刻みに震え、ぞくぞくしているのをきわめて明瞭に意識している。これは一つの幸福の奥底であり、ここでは最大の苦痛も最大の憂愁も妨げとはならず、むしろ当然生み出されたものの結果、求めておびき出されたもの、このような光の充満している所では一つの必然的な色という役割をする。これはリズム的な諸関係を感得する一つの本能なのだ。（中略）すべてこれらのことが最高度で生ずる。有無を言わせず、しかしまた自由——感情の、無礙自在の、力の、神性の嵐の中におけるがごとく……そこに見えてくる形像、比喩はなんとも動かしがたく犯しがたい。(『この人を見よ・自伝集』)

右で語られている、必然性・絶対性をおびた詩的体験、詩的体験の必然性・絶対性こそは、その必然性・絶対性を介して、事物を「美と見ることを学ぼうと思う」と言う彼の願望、だから彼が語る「運命」を現実化・実際化させて、日常の生活や、そこでの一挙手、一投足、諸事物や諸事象を尊ばせるに至らしめている究極的な事態と思われてくるからであって、そこで述べられている「陶酔」や「恍惚」も、これまた、ニーチェが、これ以外にありえないという必然性・絶対性に遭遇、あれかこれかの不安や疑問につきまとわれている相対的な自己や分別を消失するそこより生じてきている事態だからである。

つまり、ニーチェは、先にも述べたごとく、『悲劇の誕生』の執筆時においては、相対的な主観としての「私」を踏まえ、「生きんとする意志」を体現、非現実的な美をたよりに生の救済・確保をはかったが、彼は右の体験を介して、その自己を消失、そこより現実の生活や、そこでの諸事物、諸事象に意味を見出す事態、だから虚無・暗黒の母胎としての、生の障害にわずらわされずに、日々を「おのずから」という形で、自由にいきいきと生きる事態も生じてきているのである。

そしてその事実は、彼がその体験をめぐって、『ツァラトゥストラ』の中で、「わたしにとって——どうしてわたしの外などがあるか？　なんらの外もないのだ！」とか、「『慮らずして』——これこそ、この世界の最も古い高貴さである。この高貴さを、わたしは一切の諸事物に取りもどしてやった。わたしは諸事物を目的への隷属から救済してやった。」とか言いながら、次のように語っていた事態を考えても明らかになってくる。

> わたしは、祝福する者、《然り》と言う者になったのだ。（中略）ところで、これがわたしの与える祝福である。すなわち、あらゆる事物の上に、その事物自身の天空として、その丸い屋根として、その紺碧の鐘と永遠にわたる保証として、かかることだ。かくて、このように祝福する者は、さいわいだ！
>
> というのは、一切の諸事物は、永遠という泉において、そして善悪の彼岸において、洗礼を施されているからである。だが、善悪そのものは、中間の影、湿っぽい憂愁、行く雲にすぎない。
>
> 「一切の諸事物の上には、偶然という天空、無邪気という天空、不慮という天空、奔放という天空が、かかっている」と、わたしが教えるとき、まことに、それは一個の祝福であって、なんら冒瀆ではない。

初めの二つの文中には、これ以外にはありえないという絶対に遭遇、あれかこれかの、相対的な分別や、それの主体としての、主観的な自己をなくしているニーチェそのひとがいるし、後者の文は、先程触れた「私はいつかはきっとただひたむきな一個の肯定者であろうと願うのだ」と言っていたその願いの実現を伝えているし、そこにはまた、相対的自己をなくして、根源的一者を体現、世界と一つになって、諸事物を救済しているニーチェそのひとがいるからである。

（五）　詩的体験は、真と信との体験でもあるということ

―ニーチェと東洋の心

そして右で見た、ニーチェの詩的体験は――ということは、「霊感」体験は、ということにもなってくるが――禅の語る悟りとも密接な関係を持っている。悟りとは、これ以外にありえないという一・絶対に触れて、あれかこれかの不安や疑問、それらの主体としての相対的な、主観としての〝私〟

が消えてなくなるその無の体験を意味しているからである。つまり、詩的な体験とは、これ以外ないという一・絶対の体験として、真と信の体験をも意味しているということ、そこよりニーチェの語る詩的体験がイコール禅の悟りとの符合も生じてきているのである。

そしてその事実は、ニーチェが詩的体験をめぐって、先の文中で、「一つの完全な忘我の境にありながら、爪先に至るまで無数に小刻みに震え、ぞくぞくしているのをきわめて明瞭に意識している。」と語っていたり、「恍惚」に言及したりしていた事態を考えても明らかになってくる。前者の言葉は、鈴木大拙の語る「無分別の分別」と重なるし、その「恍惚」も、一・絶対に遭遇、相対的分別を失う、そこに生じているという事実を踏まえれば、それは法悦を意味していると言えることにもなってくるからである。

あるいはここで、私たちになじみの、禅僧雲門の「日々是好日」という言葉を考えてもよいかもしれない。それは、一・絶対に遭遇、生をさまたげる様々な障害に出会いながらも、それにわずらわされずに、自由を所持しつつ生きてゆくあり方を意味しているが、それは、先に見た、ニーチェの「友人」の死に対する対し方とは勿論のこと、道元の、生死をめぐる次のような言葉と重なりもするからである。

もし人、生死のほかにほとけをもとむれば、ながえをきたにして越にむかひ、おもてをみなみにして北斗をみんとするごとし。いよいよ生死の因をあつめて、さらに解脱のみちをうしなへり。

ただ生死すなわち涅槃とこころえて、生死としていとふべきもなく、涅槃としてねがふべきもなし。このときはじめて、生死をはなるる分あり。（『正法眼蔵』所収「生死」）

それ故それらの事実を踏まえれば、私たちは先程、ニーチェが「一個の肯定」となり、諸事物を「祝福」している姿を見たが、その姿をめぐって、それは、彼が一・絶対を体現、諸事物を成仏させている姿と言えることにもなってくるし、彼の前に展開している情景に関して、それは、「公案」が「現成」している姿、だから諸事物が実相を呈している姿と言えることにもなってくるのである。成仏とは、ニーチェが「慮らずして」とか、「目的への隷属から救済してやった」とか言っていた、その事実を考えてもわかるように、諸事物をあるがままにしてやること、だから一切の束縛・規制より解放、自由自在・真如たらしめることを意味しているからで、その一・絶対こそは、これまたニーチェが忌み嫌っていた無根拠・無目的を、無依の自在へとかえていた事態、つまりは、彼を虚無・暗黒より光明へと導いた事態でもあったからである。

つまり、諸事物の真如としてのあり方の出現と、虚無・暗黒よりの救済としての光明の、彼の中における出現とは、偶然に生じてきているのではなく、一・絶対を介して生み出されているのである。あるいはここで、「般若心経」の中の「色即是空、空即是色」という言葉や、禅僧玄覚の「証道歌」の中の「無明の実性即仏性、幻化の空身即法身」という言葉、更には、ニーチェの「世界の苦悩は深い」と言いながら、「永遠」をめぐって「快感は――心の悩みよりもさらに深い」(『ツァラトゥストラ』)と語っていた言葉を考えてもよいかもしれない。前の二つの言葉を生み出しているのは、相対を貫く一・絶対という事実であるし、ニーチェの語る「永遠」も、一・絶対の、単なる異名にすぎないからである。

そして大切なことは、右で見た、ニーチェと禅との符合は偶然に生じているのではなく、それは、それら両方が、ともに虚無・暗黒にさらされながら、しかもそれらを打開する存在拠点、行為・行動の拠点さえも、この世に所持していなかった事態、だから生・存在の極限状況・限界状態を踏まえ生じてきているということ、従ってそれらは、今を生きている私たちにとってはもちろんのこと、だれもが所持している可能性で、それ故そこに、両者の深さ、普遍性もあると言えることにもなってくるが、その事実は、ニーチェがソクラテスを極度に忌み嫌っていた事態とも、これまた密接な関係をもっている。その嫌悪は、有限で相対的な理性や、それを踏まえての合理性では把えられない暗さがあるという事態、それらで、その暗さを払拭できると想い見做している事態より生じているからである。

そして私たちはその事実を介して、東洋の思惟や心性の、深さや普遍を、これまた教えられもするのである。

東洋の思惟や心性が尊ぶ、無依自在というあり方、真如というあり方こそは、ニーチェの場合と全く同様、虚無が――ということは、無自性や無常性（生成・変化）、無分別や無根拠の無が、ということにもなってくるが――一・絶対の震撼体験を介して底をぬくそこに――ということは、明暗という相対、主客という相対が底をぬくそこに、ということにもなってくるが――、生み出されているからである。

詩と生の危機

――桃谷容子の詩をめぐって

（一）　生と存在をめぐる危機

大学時代、ギリシャ悲劇が好きだった。とりわけ苛酷な運命に抗って、果敢に闘ってきた、ソフォクレスの「オイディプス王」に魅かれてきた。

右の言葉は、桃谷の詩集『野火は神に向って燃える』のあとがきの中の言葉だが、彼女は、その言葉に続けて、また次のようなことを語っている。

何故あの頃、あれほどまでにこのギリシャ悲劇に魅かれたのか、最近になって私は理解できるようになった。それは私自身が、誕生する前から苛酷な運命に立ちあわされる星の下に置かれていたことを、無意識に感じていたからではなかったのかと。

右の二つの文を踏まえれば、ギリシャ悲劇と彼女とを結びつけていたのは、「苛酷な運命」ということになるが、私は、彼女が語るその「苛酷な運命に」心惹かれる。その「苛酷」さは、一見、彼女のみが持たされたそれのように見えもするが、彼女の詩や、彼女の語るところを踏まえると、それは、私たちが意識しているかどうかにかかわりなく、私たちだれもが、例外なく、常時持たされている、生や存在にまつわる、可能性としての「苛酷」さと思われてくるからである。

つまり、彼女が持たされたギリシャ悲劇への関心は、偶然的なものではなく、それは、だれもが所持している、生や存在にまつわる悲劇を踏まえ生じているとも言えるということ、そしてその生や存在にまつわる悲劇こそは、これまた、詩集『カラマーゾフの樹』の深さや広さ、だから普遍性を形造っている母胎と思われてくるのである。

（二）　故郷喪失者としての世外のひと

よって、以下、私たちの生や存在のみでなく、詩にとっても重要な意味を持つと思われる、彼女が語るところの「苛酷な運命」、「運命」の「苛酷」さの、その中味を瞥見したい、そう思うのであるが、そのことを考えると、私の中に、たとえばその詩篇「わたしを癒さないで」や「凍てる薔薇」（ともに詩集『黄金の秋』）に所収）の中の、次のような詩句が浮んでくる。

わたしは冬の夜に燃える
一束の松明
それは冬の闇を照らしているのでも
あなたを暖めているのでもない
みずからを火炙りにして

燃え尽きる
一束の松明で
わたしはありたいのです　（「わたしを癒さないで」）

冬の野に　薔薇が一輪
美しい性格破綻者
ふるえている
たえている
一人では　滅びることもできないのか
こんなに　滅びたいのに

……

……

冬の野に薔薇が一輪
美しい拒絶症

ふるえている
たえている
一輪では　散ることもできないのか
こんなに　散りたいのに

散らずに
凍てている　（「凍てる薔薇」）

「冬」は、彼女が背負わなければならなかった生・存在にまつわる「苛酷」さを物語っているし、右の詩句の中には、その「苛酷」さにたえている彼女の姿もあるが、彼女は、その詩篇「調和の幻想Ⅱ」(『カラマーゾフの樹』所収)において、彼女が語るその「冬の野」に咲く「一輪」の「薔薇」をめぐって、その「苛酷」さに言及、次のように語っていたからであって、その事実を踏まえれば、その「苛酷」さは、外見的にはこの世に身を置いていながら、実際にはそこに居なかったという事態、だから自分の居場所をさえ持たない世外の人として、この世にあったという事態を意味してくるからである。

冬の野に　薔薇が一輪
美しい　性格破綻者

〈心が荒むのです〉〈どのように荒むのですか〉〈始めはいつも悲哀の感情からなのです。原因は……わかりません　悲哀の感情から出発して行き着くところは……荒廃感なのです〉〈どんな悲哀の感情なのですか〉〈自分が他の人達とはあまりに違う　異端者というか……この世との永遠の不調和という長い苛酷な旅に疲れきり　行き倒れる浮浪者であるような……もうどこにも救いのない冷たい風の吹く袋小路　絶望感深い諦念の感情なのです〉(中略)〈いつ頃からですか　その感情がうまれたのは〉〈このように分析できるようになったのは　最近になってからですが　十年　いえ　もっと以前からあったような気がします　多分　幼年時代から……この言い知れない悲哀の感情は……〉

つまり、彼女が語る「この世との永遠の不調和」とは、そこにある「行き倒れた浮浪者であるような」という言葉を考えてもわかるように、外見的にはこの世に身を置いていながらも、実際にはそこに居なかった事態、だからこの世との一体性を欠いて、この世の外にあるあり方を意味しているのであって、それが、「冬の野」に咲く「一輪」の「薔薇」の「苛酷」さを意味しているとすれば、逆に、世外のひととしてのそのあり方が、「冬の野」に咲く「一輪」の「薔薇」としての彼女が身におびていた「苛酷な運命」の「苛酷」さを意味していると思われてくるのである。

そしてその事実は、彼女が詩篇「エリザベスという女」（『カラマーゾフの樹』所収）で、自分の「大学時代」をふりかえりつつ、次のように語っていたこと、そしてそれに続けて、自分が出会った、みすぼらしい老女や美しい街娼エリザベスをめぐって、その老女は自分の未来の姿と言ったり、エリザベスは、自分に他ならないと言ったりしていた事態を考えても確かめられる。

大学時代、私は急にこの世のすべての事に執着がなくなる、という時期があった、すべてが空虚で、最後に存在していることは無意味だ、という想念に行き着くのだ。朝起きてカーテンを開いている時、夕暮電車の中で窓外の風景を眺めている時、それは突然やってくるのだった。私はそれを秘かに〈白い闇〉と呼んでいた。

「この世のすべての事に執着がなくなる」とは、この世やそこの諸事物、諸事象への興味・関心を失って、それらをあってなきがごときもの、夢・幻としてみなすことを意味しているが、それは、世界やそこの諸事物、諸事象との生きた関係を喪失、世界の外へと投げ出されることを意味しているし、その老女やエリザベスの姿は、外見的にはこの世に身を置きながらも、自分の居場所と言える場所を持たない、世外のひととしてのあり方を意味しているからである。

つまり、彼女が〈白い闇〉を語りつつ、老女や街娼エリザベスに言及しているのは偶然のことではなく、そのうしろには、世界との生きた関係を喪失、世外のひととさせられる体験があったと言えるのである。

あるいはここで、同じ『カラマーゾフの樹』に収められている「廃園Ⅲ」の中の、次のような叙述を考えてもよいかもしれない。

子供の頃、女中に連れられて遠い市場へよく行った記憶がある。そこへ行くには広い枯れ野原を横切って……。晩秋か冬の初めだった。野原の途中で私は急に立ち止まったのだ。さみしい風が吹いていて、あたりは一面琥珀色の枯れ野原。〈お嬢ちゃんどうしたの　そんなとこに止まって　早くおいでなさい　放って行きますよ〉握っていた女中の手は暖かく、私はそれを離すまいと強く握りしめるのだが、その暖かい手はツルリと私の悴《かじか》んだ手を離してしまうのだ。それはまるで人生と私との関係に似ていた。私とこの世界との違和。言い知れぬ悲哀の感情。（中略）その存在の本質にまで浸み渡っていく淋しさの感情は、薄ぼんやりとではあるが、記憶にあるものだった。しかし私はその記憶の原型をまだどうしても思い出すことができない。

その「暖かい手」の喪失を介しての、世界との生きた関係の喪失は、まさに井上靖が「川明り」（『運河』所収）で描く、幼児期の、次のような、石鹸を介しての、世界の、全的な喪失の悲劇と符合しているからである。

石の階段が水面に向って落ち込んでいた。満潮の時は階段の半分が水に没し、干潮の時は小さい貝殻と藻をつけた最下段が水面に現れた。ある夕方、そこで手を洗っている時、石鹸がふいに手から離れた。石鹸は生きもののように尾鰭を振って水の中を泳ぎ、あっという間に深処に落ち込んで行って姿を消した。あとには、もうどんなことがあっても再び手の中には戻らぬといった喪失感があった。これは幼時の出来事だが、それ以後、私はこのように完全に物を喪ったことはない。川明りがいかなる明るさとも違って、悲劇の終幕が持つ明るさであることを知ったのもこの時だ。

要するに、桃谷は、〝廃園〟と〝調和の幻想〟という名のもとに四つずつ作品を書いているが、それらの名は、彼女の、世界との生きた関係の喪失、そこでの存在喪失を踏まえ選ばれ、そして作られているのである。

そしてその事実は、『黄金の秋』のあとがきの中の次の言葉や、「神託」(『カラマーゾフの樹』所収)の中の、「この世の生温《ぬる》い幸福にゃあ　慣れるってことにがまんができないんだ」という言葉を考えてもまた確かめられるのである。

私が八歳の春、母親代りだった一歳上の姉が病死し、しばらくして溺愛してくれていたばあやが姿を消しました。森のような邸の庭の暗黒に一人、私はとり残されたのです。……その時味った深い喪失と空白の感情は、八歳の子供にとって身にあまるものでした。私は溺れかけている者が何かに必死で捉まるような思いで黴臭い書庫の中で一日の大半を過ごしました。

右の、八歳時の彼女の体験は、先に見た、彼女の、かの「暖かい手」の喪失体験とは勿論のこと、井上靖が語っていた喪失体験とも符合しているし、後者の言葉を語らせているのも、みずから望まずして持たされた、彼女の生にまつわる「苛酷」さだったからである。

(三) 生きるということと世界内存在ということ

右で、外面的にはこの世のひととしてありながらも、実際にはこの世の外のひととしてあった、桃谷の姿を見た。そしてその世外のひととしてのあり方が、世界との生きた関係を断った状態であることをも指摘したが、その世外のひととしてあるあり方と、世界との生きた関係を喪失しているという事態とは密接な関係を持っている。世界の中での居場所こそは、私たちが自分の身体を置く存在拠点であると同時に、私たちがまた自分の身体を行使しつつ行為・行動する、生の母胎を意味しているからである。つまり、この世での居場所を喪失していた彼女が、世界との生きた関係を断っていたのは偶然のことではなく、それは、この世での居場所が、私たちの存在拠点であると同時に、行為・行動の拠点でもあったところより生じているのである。従って私たちはまた、彼女の詩や、彼女が語る言葉を介して、その生の喪失という事態を容易に確かめることができるし、彼女が語る「苛酷」さをめぐっても、それは、彼女が望まずして持たされた生の困難さにあると言えることにもなってくるのである。

私たちは先程、彼女の世外のひととしてのあり方をめぐって、それは、世界との一体性を欠いているあり方と言い、彼女がまた「エリザベスという女」において、「大学時代」をふりかえりつつ、「私は急にこの世のすべての事に執着がなくなる、という時期があった。」と語っているのを見たが、たとえばここで、それらの事実を念頭に置きつつ、彼女が「調和の幻想Ⅲ」において、次のように語っていた事態を考えてみて頂きたいのである。

私は暗く湿ったひんやりとする台所の出口の濡れた石のたたきに立っている愛子に　冷蔵庫を開け　冷たく冷えた赤いトマトを手渡したのだ　愛子の柔らかな白いてのひらに　冷えた重量のある赤い果実が載せられ　両手でそれをつかむと　愛子は獣のすばやさで口に近づけ、音を立ててむしゃぶりついた　ザクッという生生しい歯の果肉を嚙み砕く音　赤い透きとおった汁が愛子の顎をしたたり落ちる　私はその光景を薄暗い台所の片隅で　かたずをのんでみつめていた　愛子はなんと美味しそうに　その冷たい官能的な色と形をした果実を味わっていただろう　愛子はあの果実と合体していた（中略）愛子はあの冷えた赤い果実と調和していた　永遠に調和していた

右の文中には、生への欲求の一つのあらわれとしての食欲を欠いているがゆえに、トマトと一体化しえず、一体化している愛子を、外からながめている世外のひととしての一人物がいるし、その愛子の姿を熱心にながめているあり方のうしろにも、「この世のすべての事に執着」をなくした、「大学時代」の桃谷がいるからである。

つまり、右の描写は、世外のひととして、世界との生きた関係を持ちえなかった桃谷の、その一

つのあらわれとしてあるということ、食欲こそは、生への興味・関心の母胎の一つに他ならないということ、従って右の事態は、彼女の身体や生・存在の脆弱性を物語っていると言えるのである。あるいはここで、彼女が「競走」（『カラマーゾフの樹』所収）の中で、「幼い時から競走が嫌いだった……成長してからも　誰かが自分に競走する気配が見えてくると　急速に私は醒めていった」と歌っていたり、その「調和の幻想Ⅳ」の中で次のように語ったりしていた事態を考えてもよいかもしれない。

〈ご結婚なさって何年でした〉〈五年でした〉〈その間ずっと vierge だったといわれるのですね〉医者の声は低く囁くようだ。おそらく訓練によるのだろう。ほとんどうごきのない顔だ。〈好きでなかったわけですか　御主人のことを〉若い男は愛ということばを使わなかった。〈嫌いではありませんでした〉〈では好きだったのですね〉〈いえ好きでも嫌いでもありませんでした〉〈……では何故結婚したのですか〉〈退屈していたのです〉若い男の瞳に初めてあるかないかの怒りの色が走った。

（中略）

あのクリニックに何回通ったのだろう。何という忍耐力だったろう。始めは遊びだったのだ。いつもの退屈《ママ》しのぎでしかなかったのだ。それがいつか……本気で救済を願いだしていた。

前者の詩句の中には、身体が弱いがゆえに生への欲を欠いている人物がいるし、後者の詩句は、次に引く「調和の幻想Ⅱ」の中の言葉と符合するが、その二つの言葉の中には、トマトの場合と同様、一体化（合体・調和）への願望を持ちながらも、その欲求を欠いているがゆえに、「おのずから」という形で、一体化（合体・調和）を実現しえない人物、つまりは、一体化（合体・調和）の外に立って、それをながめている他ない人物がいるからである。

〈例えば　私が或る人を好きになるとします　当然普通の人間なら　その対象と合体したいと願うはずです　結婚し　子供を産み　幸福な家庭を築きたいと……ところが私の場合は違うのです〉〈その人と一緒に暮らしたいと思わないわけですか〉〈願望はあるのですが、できないと思うのです〉〈何故ですか〉〈わかりません　わからないのですが　とにかくできないと思ってしまうのです　自分にはそのような資格がない　というか……〉

つまり、世界やそこの諸事物、諸事象との一体化（合体・調和）は、「おのずから」という形で果たされるのだが、彼女の場合は、その「おのずから」の母胎としての欲求を欠いていて、それに対して、意識を介してしか対しえないということ、そして意識を介してしかそれを目指しえないということは、たとえ目指したとしても、その意識（私意）に邪魔されて、その一体化（合体・調和）は実現しえないということ、そしてそれはそのまま彼女の生・存在に対する対し方に関しても言えることなのである。「おのずから」という形で世界の内に自分の居場所を持っているということ、だから「気づいた時には既に」という形において、世界内存在を実現しているところに、生や存在は成立するからである。

あるいはここで、居場所にいることが「なごむ」（at home）を意味していることを考えてもよいかもしれない。「なごみ」なくして、ゆたかな生・存在のゆたかさは生じえないからである。つまり、意識的ということと、居場所の欠落とは、「なごみ」・慣れの欠落において通底しているのである。

（四）「おのずから」ということと生きるということ

それ故その事実を踏まえれば、私たちはまた、彼女が語る「苛酷」さをめぐって、それは、彼女が「おのずから」を欠いて、常時、意識的でしかありえなかったそこにあるとも言えることになってくるが、そのあり方は、彼女が身にまとっていた知性性を物語ってもいるのである。知性とは、状況・世界の中に身を置かず、それらの外に立って、距離をもって、それらやそこの諸事物、諸事象をながめる冷静・冷徹さを意味しているからである。つまり、知性とは、主観としての私がこちらに、そしてそれ以外のものを客観としてあちらに置いた、生や存在との一体性を欠いている事態を意味しているということ、私たちもそれを行使しつつ、日々を生きているわけだが、それは、生や存在を保証された中での行使だということ、彼女の悲劇は、生や存在の保証を充分に持たないところの知性性の過剰にあると言えることにもなってくるのである。

そして生や存在の保証を欠いた、知性性の過剰という事態こそは、彼女の、美との関係は勿論のこと、神との関係をも規定している事態で、従ってそこに、彼女の詩人・信仰者としての特徴もあると言えることになってくるのである。つまり、彼女の美・神との関係は、私たちは先程、彼女が自分を「美しい性格破綻者」として把えていた事態を見たが、その事実を考えてもわかるように、彼女が背負わされた悲劇・「苛酷」さをぬきにしては語りえないものとしてあったということである。「性格破綻者」とは、この世との生きた関係を持ちえない「廃園」の住人を意味していたからである。そしてその事実は、世外のひととしての街娼エリザベスをめぐって、彼女は「もう一人の私」に他ならないと言いつつ、彼女は「どの女優にも似ていなかったが、最も美しかった」と言っていたり、「テレーズ・デスケルウ」（『野火は神に向って燃える』所収）の中で、彼女に呼びかけつつ、次のように語ったりしていた事態を考えても明らかになってくる。

この十五年間、私は自分の世界ではないこの世俗の中で、生きてきました。苦しみながら。しかし、この苦しみが、神が私に与えたものならば、きっとこの苦しみには意味があるのだと、私は最近思うようになってきました。もしかしたら、それが信仰というものなのかもしれないと……

右の言葉を踏まえれば、彼女の信仰は、世外のひととしてしか生きえなかった事態を踏まえ生み出されていると言えるし、彼女の語る美も、これまた「自分の世界ではないこの世俗の中で、生き」ざるをえないところで把握されているからである。

つまり、よいかわるいかは別として、ともかくも、彼女の語る美や神は、世俗との生きた関係の薄弱な、非現実性を色濃く身にまとったそれらを意味していたのであって、そこに彼女の、詩人・信仰者としての特質もあったと言えるのである。

（五）その詩人としてのあり方をめぐって

右で彼女の詩人・信仰者としてのあり方の特質・特異性に言及したが、それらは、しかし彼女にのみ見られる特質、特異性なのではない。

よって以下、彼女の詩や詩人性、信仰者としての位置のみならず、それらが私たちにとって持つ意味をも探るために、その問題を追って行きたいが、たとえばここで、西脇順三郎が「芭蕉の俳句」（薔薇十字社『西脇順三郎対談集』所収）の中で、「放浪者である以外に、ぼくなんかいうのはどうにもしょうがない。」とか、「わたし自身、どれが一番正しい人間の生き方かというときには、やはり放浪というか、旅人、乞食《こつじき》、そういったものを人間の生態というふうに思うんです。」と言いながら、自分が目指す「ポエジイ」をめぐって、その『詩学』の中で、次のように語っていた事態を考えてみて頂きたいのである。

私としてはポエジイは新しい関係を発見することであると実感として言える。そして私をよろこばせるような関係はみな超自然的なものであった。私は大詩人の詩作を読むときでも、（私の心を把えるのは、筆者）その中の自然や現実やテーマや話の筋ではなかった。その中に何についてその詩人が言っていようとそれには全く興味がなかった。勿論またその詩人がどんな思想をのべていようがそんなことはどうでもよかった。ポエジイとしての思考しかみなかった。絵画でも同じように、その絵が林檎であろうが風景であろうが肖像であろうが、ただ面白い「関係」だけ発見しようとしていた。

右の言葉の中には、現実との生きた関係を断った、非現実的な美にしか興味・関心を示しえない、桃谷と同様の世外のひととしての詩人がいるし、その詩人としてのあり方も、たとえば彼の次の言葉を考えてもわかるように、これまた、桃谷と全く同様、身体の脆弱性や、欲求・欲望の僅少性を踏まえ生み出されていたからである。

私は若い時から低血圧に苦しめられた。絵も薄い水彩画がだんだん好きになった。崖の上に出ているススキの穂だとか、藪にからむボタンヅルだとか、この陶器は本物だろうとか、人生的価値の少いものに哀愁を感じてきた。（『剃刀と林檎』所収「脳髄の日記」）

肉欲、煩悩、みな捨てなければいい詩が書けないんだよ。（『西脇順三郎対談集』所収「反経済としての詩」）

つまり、桃谷は、この世における存在の仕方のみならず、その生のあり方も西脇と共通していたのであって、そこより詩人としてのあり方の共通性も生じているということ、従ってその事実を踏まえれば、桃谷の詩人としてのあり方をめぐって、それは確かに特異だが、特異の非特異性を示していると言えることにもなってくるのである。

そしてその非特異性は、また三島由紀夫を介しても把握することができる。

たとえばここで、彼が映画「憂国」への出演をめぐって、「『憂国』の謎」の中で、「いはば私は、不在證明《アリバイ》を作らうとしたのではなく、その逆の、存在證明をしたい、といふ欲求にかられたのである。」

と語っていたのを念頭に置きつつ、『仮面の告白』や『私の遍歴時代』の中で、彼が次のようなことを語っていた事態を考えてみていただきたいのである。

人生は舞台のやうなものであるとは誰しもいふ。しかし私のやうに、少年期のをはりごろから、人生といふものは舞台だといふ意識にとらはれつづけた人間が数多くゐるとは思はれない。

もう一度原子爆弾が落つこつたつてどうしたつて、そんなことはかまつたことぢやない。僕にとつて重要なのは、そのおかげで地球の形が少しでも美しくなるかどうかといふことだ。

「存在証明をしたい、といふ欲求」のうしろには、外見的にはこの世に身を置きながらも、実際にはそこに居ない、桃谷と同様の、世外のひとがいるが、人生との生きた関係を喪失、それを「舞台」として把えさせているのも、その世外のひととしてのあり方だし、その最後の言葉の中にも、この世との生きた関係を欠いた美にしか興味・関心を持ちえない、桃谷と全く同様の人物がいるからである。

そしてその事実は、彼の次のような言葉を考えても明らかになってくる。

沢庵を二切れそへた諸だらけの飯を、看護婦はぱくぱくと喰べだした。人間が御飯をたべるといふ習慣がこれほど無意味に見えたことはなかつたので、私は目をこすつた。やがてかうした観方が、私が生きる欲望をすつかり失くしてゐることに由来してゐるのを私はつきとめた。（『仮面の告白』）

船のやうに生と存在にしつかり錨を下ろしてゐるのは、彼ら（沖仲仕たち、筆者）のはうであることも疑ひを容れなかつた。思へば社会は、何らかの犠牲に対してしか対価を払はない。生と存在を犠牲にすることが大きいほど、知性はたつぷりと支払はれるのであつた。（『豊饒の海』）

生への欲求の一つの現れとしての食欲を欠き、「諸だらけの飯」に意味を見出しえない、その『仮面の告白』の主人公の姿こそは、生への欲求の一つの現れとしての食欲を欠いていて、トマトと「合体」していた愛子を、羨望の念をもってながめていた、先に見た「調和の幻想Ⅲ」の中の、作者の分身としての「私」の姿と重なるし、後者の文中の、主人公の、「生と存在を犠牲に」した「知性」

のひととしてのあり方も、これまた、外見的にはこの世に身を置きながらも、実際にはそこにおらず、「生と存在を犠牲に」していた、これまで見てきた桃谷のあり方、姿と重なりもするからである。

あるいはここで、今一つ、右の事実に関して、時と所を隔てた、知性のひととしてのヴァレリーの、『覚書と余談』（筑摩書房・ヴァレリー全集5巻所収）の中の、レオナルド・ダ・ヴィンチの「熱狂状態における性愛は、非常に醜いものであり、もし当事者たちがそれを見たら、人類は絶滅してしまうだろう。」という言葉をめぐっての、次のような叙述を考えてもよいかもしれない。

性行為の機制についてのきわめて冷たいこの視線は、知性の歴史のうえでも独特のものである。

「熱狂状態における性愛」が、その「当事者たち」にとって、もし「非常に醜いもの」に見えるとしたら、それは、彼らが自分自身の身体を使い、性行為を営みながらも、実際にはそこにおらず、その外に立って、自分らの行為をながめているからであって、その「冷い」「知性」のひととしてのあり方は、三島がその「スタア」の中で描く、主人公の次のような姿と重なるのみならず、これまで見てきた、西脇や桃谷の、世界との生きた関係を持ちえない、世外のひととしてのあり方とも符合するからである。

僕の「役」は透明な膜のやうに僕を包み、僕をしつかり衛つてゐる。僕は堅固な城のなかにゐるのも同様だ。（中略）もし監督が激して、僕に殴りかかつたとしても、彼の拳は空虚なものの中を泳ぎ、決して「僕」を殴りつけることができないのを、僕は知つてゐる。

要するに、桃谷の詩や詩人性、信仰者としての特異性は、彼女が生・存在の喪失の危機にさらされているそこより生じているということ、そしてそれは、私たちだれもが可能性として所持している事態で、そこよりまた、右で見たような、彼女と西脇や三島、ヴァレリーらとの符合も生じてきているということ、従ってその彼女の特異性は、私たちにとっても、身近なものとして存在しているといえるのである。

そしてその事実は、たとえば抽象芸術や、先に触れもした西脇の次のような言葉を考えても確かめられるのである。

ポエジイは人間の救済である。しいたげられている人たちや世をはかなむ人たちを精神的に救済することになる。マルクスは物質的に救済しようとした。（『詩学』）

抽象芸術の背後には、世界、存在との生きた関係の喪失が横たわっているし、西脇が語るその「救済」も、これまた、生・存在の喪失よりの「救済」を意味していたからである。

あるいはここで、逆に、「救済」を見出しえなかった場合の、三島やヘルダーリンの、自分の死をみつめたり、「魂の深夜」に沈んだ折の、次のような述懐を考えてもよいかもしれない。

血が流され、存在が破壊され、その破壊される感覚によつて、はじめて全的に存在が保障され、見ることと存在することとの背理の間隙が充たされるだらう。……それは死だ。（『太陽と鉄』）

実際、いまのぼくの状態は、事物をどう名づけていいかわからないのだ。ぼくにはいま何ひとつ確実なものはない。

自分を外界の事物をどう扱ったらいいかわからずにいる。わたしの心は、水中から岸べの砂に投げ出された魚と同じだ。（『ヒュペーリオン』筑摩書房・世界文学大系26所収）

前者の中には、存在との生きた関係を持ちえないがゆえに、意識に頼り、存在の破壊を介して、存在を実感しようとしている、奇妙とも言える、追いつめられた挙げ句の果の、深い悲劇が語られているし、後者の中にも、これまた、自己とは勿論のこと、世界や、そこの諸事物、諸事象との生きた関係を喪失している人物がいるからである。

II

詩的体験の根源を探る

——詩と存在の体験

（一）「おのずから」ということと本当に「ある」ということ

自在という言葉がある。

聞きなれた言葉だが、その言葉は、不思議な想いをいだかせる。それは、「自分みずからある」こととともとれるし、「おのずからある」こととともとれるが、「おのずから」は、「みずから」という「私」があっては、成立しないはずだからである。つまり、「おのずから」と「みずから」とは相容れないということ、にもかかわらず、その言葉は、その相容れない事態を自分の中に含んで成立しているように思われてくるからである。

では、どこからそういう不思議とも言えるような事態は生じてくるのか？

その事実を考えると、私の中に、たとえば私たちが「無心の心」を心として尊んだり、「私なき私」、つまりは「無我の我」を大我として尊んだりしている事態が浮んでくる。それらの事実を踏まえれば、自在の「自」の「みずから」は消えて、自在がはらんでいると見えた矛盾・対立は消えるからである。

つまり、心といい、私とはいっても、一様なものではなく、その中には、諸事物や諸事象を、自分とは異質な、一個の対象・客体として把える、主客分化したそのあとの、相対的な心や私もあるし、分化する以前の、一・絶対性をおびた心や私、だから通常私たちが「無心の心」とか、「われなきわれ」・大我と言ったりするそれらもあるということ、従ってその事実を踏まえれば、自在の「自」は、無我の無・無心の無を体現した「自」と言えるのであって、自在がはらんでいると見えた矛盾・対立は消えてなくなるのである。逆から言えば、それらがあると見えたのは、主客分化する以前の無としての心や私を、私たちが看過して自在を考えていたからとも言えるのである。

そして右の事実は、私たちがよく知っている、釈迦の「天上天下唯我独尊」という言葉や、禅僧百丈が、と或る日、一修行僧より、「仏教において奇特なことは何か」と問われた時の、「独坐大雄峰」

との言葉を考えても明らかになる。釈迦の語る「唯我」とは、主客分化したあとの、相対的な小我ではなく、その母胎としての大我のことで、その言葉は、大我の、無依の自在性を物語っているし、その百丈の言葉も、大我を体現した自在性を告げているからである。

それ故右の事実を踏まえれば、私たちは、自在をめぐって、それは、悟りとは勿論のこと、万物の母胎としての神や仏のあり方、だから真如というあり方とも密接な関係を持っていると言えることにもなってくるのである。悟りとは、私たちが、これ以外にありえないという一・絶対に遭遇、あれかこれかの相対的な分別や、その主体としての小我が消え去るそこに生じるし、それは、私たちが、絶対性をおびた神や仏のあり方を分有すること、だから仏となること、成仏することを意味しているからである。

つまり、神や仏は、自分以外に、自分の存在や行動の根拠を持たない、無依の存在者であると同時に、あれかこれかの迷いや不安、疑いとは無縁の存在者、だから「おのずから」しか知らない存在であるということ、従って悟りとは、その神や仏が身にまとっている自在性を分有する体験とも言えるのであって、そこより自在が、悟りや神・仏のあり方と結びつく事態も生じてきているのである。

（二）　本当に「ある」ということと無根拠・無拘束ということ
―ハイデッガーの所説を踏まえて

右で釈迦や百丈の言葉にふれつつ、自在の意味を簡単ながら探ったが、そこで見られた諸事実は、禅仏教とは無縁な、西欧の思想家・哲学者においても同じような形で見られる。その事実は、東洋の思惟や心性のみならず、詩・詩人が現代において持つ意味を考えるうえでも大切な事実と思われもするので、以下ふれて行きたいが、たとえばここで、ハイデッガーがその『根拠律』（引用は、創文社、辻村公一訳に依る）において、アンゲールス・シレジウスの「薔薇は何故無しに有る、それは咲くが故に咲く、それは自分自身に気を留めないし、人が自分を見ているか否かと、問いはしない。」という詩句をめぐって、次のように語っていた事態を考えてみていただきたい。

薔薇は、咲くということの内に没頭し切って咲き現われるという仕方であり、而もその場合、咲くということとは別なものとして、すなわち咲くということとの原因と制約として、この咲くということをはじめて惹き起し得る如きもの、そういうものに気を留めない、という仕方である。

咲くということは、そのこと自身の内に基づいており、その根拠をそれ自身の許に且つそれ自身の内にもっている。咲くということは、それ自身の内から純粋に立ち現われるということであり、純粋に輝き現われるということである。

右で語られている「純粋」とは、相対的な分別より解き放たれている状態、だから無心無我の無・無念無想の無となっている状態を意味しているし、その無を介して、薔薇が自分の存在、行為に没頭している状態は、これまた無依にして自在というあり方、従って成仏してあるがままにある状態、真如としてあるあり方を意味しているからである。つまり、ハイデッガーは、私たちが自在をめぐって見たのと同じ事実を、時と所とをへだてながらも語っているということ、そしてそれは、偶然に生じてきている事態ではなく、ハイデッガーの語る存在が、神や仏と同様、存在者を存在者たらしめる、一・絶対を意味しているからに他ならないからなのである。要するに、神や仏、存在といおうと、それらは、万物を万物たらしめている、一・絶対を意味しているのであって、そこより、右の、時空の差異をこえての同一性は生み出されているのである。
そしてその事実は、薔薇の「何故無しに」咲いている姿を念頭におきつつ、彼が、人間をめぐって、人間は「その都度彼にとって規定的なる諸根拠が何であり、そしてまた如何なる仕方でそれらの根拠が規定的な根拠であるかということに留意せざるを得ない」と言っていたり、「遊戯」をめぐって、次のように語ったりしていた事態を考えても明らかになってくる。

われわれは、この遊戯をほとんど経験したことがないのであり、その遊戯の本質に関しては、すなわち、何がその遊戯をなし、誰がその遊戯をなすのか。遊戯とはここで如何に思惟されるべきであるか、ということに関しては、未だなお熟思したことがないのである。ここでいわれている遊戯、すなわち、その内に存在が存在として安らっているところの遊戯、それはいとも高き遊戯であり、更に最高の遊戯でさえあり、如何なる思惟からも解き放たれていると、われわれが確信する場合でさえも、それだけでは、この高さとその最高さとがこの遊戯の密旨から思惟されていない限りは、なお、いいたりないのである。しかしながら、このことを思惟することに従来の思惟の仕方は届かないのである。

初めの言葉は、無念無想・無心無我の無の尊さを看過している事態を非難している言葉として、禅僧が無を尊ぶ事態と符合しているし、次の文中の「遊戯」も、その中の「存在」を仏と置き換えられるその事実を考えてもわかるように、仏教が語る「遊戯三昧」と重なるし、そこで述べられている「従来の思惟の仕方」も、これまた、無を忘れた思惟のあり方、だから主客の相対を脱していない「従来の思惟」のあり方を意味しているからである。

あるいはここで、彼が存在の無根拠・無依に関して、露骨な形で、次のように語っていたり、「遊戯」の境界への「飛躍」をめぐって、「この飛躍は、かの合すること〈存在と合すること、もともと合していること〉の内への橋わたしなき帰入の急激（Jahe）である。」と言ったりしていたことを考えてもよいかもしれない。

存在は、存在を根拠づける別の根拠というものを決してもち得ない。……存在は存在としてそれ自身の内部で根拠づけるものである限り、存在それ自身は無根拠（grumalos）に留まっている。「存在」は根拠の命題の支配圏に入って来ない。その支配圏に入って来るのは、存在者だけである。

前者の言葉は、先に見た、自在の無根拠・無依と重なるし、後者の言葉は、その中の「存在」を、これまた「仏」と置き換えられるその事実を考えてもわかるように、禅僧の〝ふと〟を介しての悟りの体験と見做せるからである。

(三)　絶対の体験と存在の体験
――ニーチェの所説を踏まえて

そして右で見た事実は、これまたニーチェにおいても同じ形で見られる。

たとえば、『ツァラトゥストラ』の中の、次のような言葉を考えてみていただきたい。(引用は、理想社・ニーチェ全集に依る)

「慮《おもんぱか》らずして」――これこそ、この世界の最も古い高貴さである。この高貴さを、わたしは一切の諸事物に取りもどしてやった。わたしは諸事物を目的への隷属から救済してやった。

右の文中には、一・絶対に遭遇、相対的な分別より解き放たれて、諸事を「救済」・成仏させてやっている一人物、だから聖性を身にまとった禅僧やハイデッガーと同じ一人物がいるからである。そしてその事実は、同じ『ツァラトゥストラ』の中の、次のような言葉を考えれば、よりはっきりする。

わたしは、祝福する者、《然《しか》り》と言う者になったのだ。（中略）ところで、これがわたしの与える祝福である。すなわち、あらゆる事物の上に、その事物の天空として、その丸い屋根として、その紺碧の鐘と永遠にわたる保証として、かかることだ。かくて、このように祝福する者は、さいわいだ！

というのは、一切の諸事物は、永遠という泉において、そして善悪の彼岸において、洗礼を施されているからである、だが、善悪そのものは、中間の影、湿っぽい憂愁、行く雲にすぎない。

「一切の諸事物の上には、偶然という天空、無邪気という天空、不慮という天空、奔放という天空が、かかっている」と、わたしが教えるとき、まことに、それは一個の祝福であって、なんら冒瀆ではない。

右で語られている「祝福する者」・「《然り》と言う者」とは、要するに、一・絶対にうたれて相対的な分別を消失、自由自在になった者のことで、その後半で語られている、諸事物への「祝福」も、従ってその事実を踏まえた「祝福」で、それ故それは、先の文で語られていた、諸事物の、相対的な分別からの「救済」と符合しているからである。
あるいはここで、右の事実に関して、『悦ばしき知識』の中の、次のような、二つの文を考えてもよいかもしれない。

私は、いよいよもって、事物における必然的なものを美と見ることを、学ぼうと思う、——こうして私は、事物を美しくする者たちの一人となるであろう。運命愛（Amor fati）、——これが今よりのち私の愛であれかし！……そして、これを要するに、私はいつかはきっとただひたむきな一個の肯定者であろうと願うのだ！

われわれの出会う一切合切のものが絶えずわれわれにとって最善のものとなるということが、手にとるごとく明白になった今では、検証という最善の弁護者を自分の味方につけるようになる。日々刻々の生活は、ただこの命題を新しく証明しなおす以外に他意ないもののように見える。それが何であれ、かまうことはない、——悪い天候だろうと良い天候であろうと、友人を喪くしたことだろうと、病気だろうと、誹謗だろうと、来信のないことだろうと、足を挫いたことだろうと、何でもかまうことはない。そうしたくさぐさのことが、すぐさまあるいはたちどころに、「欠かせない」ものとして証明される、——それらはまさにわれわれにとって深い意味と効用とに充たされたものなのだ！

先に見た、諸事物への「祝福」は、右に引いた、初めの言葉の中で語られている願望が、〃ふと〃を介して彼が一・絶対に遭遇するその体験を踏まえ成就されているし、そのあとの文の後半で語られている事態も、これまた禅僧雲門の「日々是好日」と符合してもいるからである。つまり、彼の語る「運命愛」とは、彼が〃ふと〃を介して体験した絶対への愛であって、その体験を踏まえての、無分別の無こそは、彼の諸事物への「祝福」や、日々の生活への全面的な是認を導き出しているということ、従って、その絶対の体験と、無の獲得こそは、彼と、禅僧やハイデッガーとの符合を生み出している事態と言えるのである。

（四）　詩的体験と存在の体験

そして存在体験が、イコール自在・真如の体験を意味しているその事実を踏まえると、右で見た諸事実は、東洋の思惟や心性の、時と所を超えた普遍性を物語ってくるとともに、自在・真如が、現代において持っている意味をも物語っているとも言えるが、心惹かれることは、右で見たニーチェの存在体験は、イコール、彼にとって、詩の体験を意味していたという事実である。

たとえば彼が、同じ『ツァラトゥストラ』の中で、「お聞きの通り、わたしは比喩で話し、詩人たちのように、びっこを引き引き、どもりながら話すほかはないのだ。そしてまことに、わたしがいまだ詩人であるほかないのを、わたしは恥じているのだ！」と呟きながら、次のように語っていた事態を考えてみていただきたい。

あそこでは、一切の生成がわたしにとって神々の舞踏ないし神々の奔放と思われたし、また世界は、解き放たれて奔放に振舞い、おのれみずからのもとへと逃げもどりつつあると思われた、——

かくして世界のありようは、さながら、多数の神々が、永遠にわたって、互いに遠ざけ合っては、再び互いに求め合うかのように思われ、また多数の神々が、幸福に充ち溢れつつ、互いに抗言し合っては、再び互いに耳を傾け合い、再び互いに帰属し合うかのように思われた。——
あそこでは、時間の総体がわたしにとって各瞬間に対する至福なる嘲弄と思われた。あそこでは、必然がすなわち自由そのものとして、幸福に充ち溢れつつ自由のとげを弄んだ。——

右で語られている「あそこ」こそは、彼が諸事物をめぐって「救済」を叫んでいたり、自分が「祝福者」として、諸事物を「祝福」したりしていたところだし、「いまだ詩人であるほかない」自分を「恥じている」そのうしろには、存在喪失に会いながら、それに気付かないでいる人間への悲しみが潜んでいるからである。

つまり、右で歌われている、「多数の神々が、幸福に充ち溢れつつ、互いに抗言し合っては、再び互いに耳を傾け合い、再び互いに帰属し合うかのように思われた」世界こそは、先に見た、「一切の諸事物」が「永遠という泉において、そして善悪の彼岸において、洗礼を施されてい」た世界・「一切の諸事物の上には、偶然という天空、無邪気という天空、不慮という天空、奔放という天空が、かかってい」た世界に他ならないということ、従ってその事実を踏まえれば、彼の存在体験をめぐって、それは詩的体験と言えることになってくるし、彼を詩人と呼べることにもなってくるのである。あるいはここで、右の事実をめぐって、彼が『悦ばしき知識』や『ツァラトゥストラ』の中で、次のようなことを物語っていた事態を考えてもよいかもしれない。

われわれは、芸術家たちに見習うべきであるし、しかもその他の点では彼らよりもっと賢くなければいけない。というのも、彼らの場合は、こうした彼らの微妙繊細な能力も、芸術が止み生活が始まるところで立ち消えになってしまうのが通例だからだ。われわれは、しかし、われわれの生活の詩人でありたいと思う。しかも、何よりまず平凡陳腐な日常茶飯事のなかでだ！

断片であり、謎であり、恐ろしい偶然であるものを、一つに圧縮し収集すること、それこそわたしが〈或る意味での詩人として〉日夜肝胆を砕いていることである。

彼が実際に、「生活の詩人」となり、「日夜肝胆を砕いて」「詩人」となったところに、先に見た「生活」の意味の発見を記した文や、右で触れた二文も生み出されているからで、その事実を踏まえれば、それらは、まさに詩人としての文と言えることにもなってくるからである。

（五）存在をめぐる詩的体験の普遍性

そして心惹かれるのは、ニーチェが身にまとっていた詩人性は、先程触れたハイデッガーにおいても認められるということ、今一つは、ニーチェが詩人として語っているその言葉は、特殊なものではなく、普遍性・一般性を身におびているという事実である。

私たちは先程、ハイデッガーが、アンゲールス・シレジウスの薔薇の詩に深い共感を示しているのを見たが、その薔薇の姿は、詩や詩人が、相対的な分別より解放されて、その世界や行為に没頭・没入している姿を示しているが、その事実を踏まえれば、その薔薇への共感は、ハイデッガーの詩人性を物語っていると言えることになってくるし、ニーチェが詩について語っている言葉の普遍性・一般性は、自在・真如が身におびている一・絶対性より生じてきているからである。つまり、すべての詩人が、同じような形で、自在・真如というあり方を体現しているわけではないが、彼が詩について語っている事実は、自在・真如が身におびている一・絶対性を踏まえ生じてきているということ、そこより、ニーチェが詩について語っている言葉の普遍性・一般性は生じてきているのである。
たとえばここで、その事実をめぐって、ボードレールがその「火箭」において、「人生には、時間と空間とが一層深くなり、生の感情が無限に増大するような時がある。」と語りながら、その詩「万物照応」をめぐって、「リヒアルト・ワグナーと『タンホイザー』のパリ公演」の中で、次のように語っていた事態を考えてみていただきたい。(引用は、人文書院・ボードレール全集に依る)

事物は、神が世界を複合した分割できない全体として定めたもうた日以来、つねに相互的な類縁 amalogie によってあらわされてきたのである。

右の言葉は、一・絶対の体験を踏まえた、ニーチェの次のような言葉とピタリと重なっているし、

空間・時間感覚が変化しているのであり、途方もない遠方も見渡され、いわばはじめて知覚されうるもの

となる……このようにしてついには、おそらくはたがいに疎遠のままにとどまる理由をもっているだろういくつかの諸状態が、相互にからみあうにいたるのである。（『権力への意志』）

ニーチェは、ツァラトゥストラをして、「わたし自身が、あの救済する塩の一粒、すなわち、一切の諸事物が混ぜ壺の内部でよく混り合うようにする、あの塩の一粒である」と語らせているが、その言葉も、これまた「万物照応」の作者ボードレールの言葉と見做せもするからである。

つまり、時と所をへだてながら、その両者をして同じことを語らせているのは、一・絶対の体験で、それ故その事実を踏まえれば、それらの体験が、同じ詩人性を形造っていると言えることにもなってくるのである。

あるいはここで、私たちにとっての身近な詩人西脇順三郎がその『詩学』の中で、「『絶対』を求めるボードレールもマラルメもブルトンも禅坊主にすぎない。」と言っていたり、萩原朔太郎が次のようなことを語ったりしていた事態を考えてもよいかもしれない。

光が出たら一気に生め、この一気に生むことが肝心だ。徐々に推敲しつつ組立てた詩は出来上ったときに既に死んで居る。（「浄罪詩篇ノオト」）

前文は、絶対を踏まえた言葉として、絶対を体現していたニーチェの詩人としての普遍性を、間接ながら物語っているし、後者の文で語られている事態も、これまた、絶対を体現していた詩人としてのニーチェが常時所持していた可能性と言えるからである。つまり朔太郎のその言葉は、ためらいとは無縁の、的確無比の、神わざを意味しているが、その文を語らせている絶対こそは、ニーチェが体現していた絶対だということ、従ってその文は、ニーチェの詩人としての普遍性を物語っていると思われてくるのである。

そしてその事実は、プルーストが『失われた時を求めて』の中で、「類推の奇蹟」を尊んでいたり、ヴァレリーが自分の詩的体験をふりかえりつつ、次のように語ったりしていた事態を考えても明らかになる。

或る最初の一詩句はただ全く出来上がって見出されたばかりか、変更不能なものとして、一必然の結果として私に現われたということが、起ったのでありました。（筑摩書房・ヴァレリー全集所収「芸術的創造」）

「類推の奇蹟」とは、相対を貫く一・絶対の、〝ふと〟を介しての把握において生じる事態で、従ってそれは、ニーチェの、相対を貫く一・絶対の把握と符合するし、後者の文も、これまた、ニーチェが愛した、必然の把握と重なりもするからである。

それ故以上の事実を踏まえれば、私たちは、これまで見てきた、自在・真如をめぐって、それらは、私たちの生は言うに及ばず、詩や詩人にとって、看過しえない、重要な意味を荷っていると言えることにもなってくるのである。それらは、私たちの生の母胎としての絶対性を体現しているあり方で、詩や詩人の絶対もそこより生み出されているし、ハイデッガーの語る存在も、これまた万物の母胎を意味していたからである。つまり、先にも言ったごとく、神・仏と言おうと、存在と言おうと、それらは、相対の母胎としての一・絶対を意味しているのであって、自在・真如は、それらのあり方を示しているということ、そこより詩や詩人の絶対性も生み出されているということ、従ってそれらこそは、私たちの生と詩の母胎・根源と言えることになってくるのである。

（六）「おのずから」ということと自然

そして右の事実は、私たちが普段使用している自然という言葉を考えても明らかになってくる。自然は、自在と同様、「おのずからしかる」という意味と、「みずからしかる」という、二つの意味を持っているが、それが、神や仏、ハイデッガーの語る存在と同様、万物の母胎としての一・絶対を意味している事態を踏まえれば、その自然の「自」は、自在の「自」と同様、一・絶対より分化した、相対的な「自」ではなく、一・絶対を体現した「自」、だから無心無我・無念無想の「無」・「おのずから」を体現した「自」を意味してくるからである。

つまり、自然とはいっても、自在の場合と同様、万物を生み出す一・絶対の自然（能産的自然）もあれば、それの分化したあとに生み出された自然（所産的自然）もあるということ、そこより自然が自在と同じ意味をもつ事態も生じてきているのである。

そしてその事実は、「天地自然」を「造化」として尊んでいた芭蕉が「私意」を極度に嫌い、「おのずから」を尊んでいた事態を考えても明らかになってくる。その「私意」の排除・「おのずから」

の尊重は、相対的な私・自己では、神や仏、存在らの絶対性をおびたあり方は、自分のものにしえないという事態と符合しているからである。

つまり、自然の「自」は、神や仏、存在と同様の一・絶対性を身にまとった「自」で、それらは、だから一・絶対の、単なる異名にすぎないということ、そしてそこより、相対的な私・自己の無化による、それらの真のあり方、だから自在・真如というあり方の把握も生じてくるということ、従ってその事実を踏まえれば、私たちは、自然をめぐって、それこそは、神や仏、存在と同様、私たちの生や詩の母胎と言えることにもなってくるのである。

そしてその事実は、『笈の小文』の中の、よく知られた、次のような文を考えても明らかになってくる。

風雅におけるもの、造化にしたがひて四時を友とす。見る処、花にあらずといふ事なし。おもふ所、月にあらずといふ事なし。像《かたち》花にあらざる時は夷狄《いてき》にひとし。心花にあらざる時は鳥獣に類ス。夷狄を出、鳥獣を離れて、造化にしたがひ造化にかへれとなり。

「見る処、花にあらずといふ事なし」とは、「相対的な分別・自己より解き放たれて、無においてあれば」という意味だし、「像花にあらざる時」も、これまた、「目先の利害にのみ心を奪われていては」ということであって、その文は、従って、絶対性をおびた自然の把握は、神や仏、存在の把握の場合と同様、相対的な分別や、その主体としての自己の無化なくしてはありえないという事実を記した文と言えもするからである。つまり、芭蕉はさりげなく、「造化にしたがひ四時を友とす」と言い、「造化にしたがひ造化にかへれ」と言いはするが、それは、絶対を求めての、相対的な自己の無化という〝奥の細道〟を踏まえ語られているということ、従ってその事実を踏まえれば、私たちは、芭蕉の生・詩をめぐって、それらは、神や仏、存在の、絶対性を体現した自在や真如を求めるそこに花開いていると言えることにもなってくるのである。芭蕉の求めた生や詩は、相対が絶対に遭遇、相対的な分別・自己が姿を消すそこに生じてくるからである。

あるいはここで、右の事実に関して、道元の「峰の色谷の響きもみなながらわが釈迦牟尼の声と姿と」という歌や、蘇東坡の「谿声便是広長舌」という、詩偈の一部を考えてもよいかもしれない。そこで歌われている景物は、無を踏まえた景物として、芭蕉の〝奥の細道〟に咲いたり、照らしていた「花」や「月」を意味しているからである。

そして右で触れた自然は、親鸞が語るところの「自然法爾」とも密接な関係を持っている。私は先程、神や仏、存在をめぐって、それらは、万物の母胎としての一・絶対の異名にすぎないと言ったが、彼の次の言葉を踏まえれば、彼の語る「自然法爾」の「自然」は、これまた、一・絶対の単なる異名ということになってくるからである。

無上仏ともうすはかたちもなくましますかたちもましまさぬゆえに自然とはもうすなり。(『自然法爾章』)

つまり、自在の「自」と、自然の「自」とは、一・絶対を介して——ということは、無分別・「おのずから」を介して、ということにもなってくるが——通底しているということ、そこより親鸞が、「無上仏」を「自然」と言う事態も生じてきているのである。

そしてその事実は、彼が同じ所で、次のように語っていたり、「善人往生す、悪人をや」と語ったりしていたことを考えても確かめられる。

自然《じねん》といふは、自《じ》はおのずからという、行者のはからいにあらず、然《ねん》というはしからしむということばなり。

しからしむというは行者のはからいにあらず、如来のちかいにあるがゆえに法爾という。法爾というは、この如来の御ちかいなるゆえに法爾というなり。

自然というはもとよりしからしむということばなり。弥陀仏の御ちかいのもとより行者のはからいにあらずして南無阿弥陀仏とたのませたまいて、むかえんとはからわせたまいたるによりて、行者のよからんとも、あしからんともおわぬを、自然とはもうすとぞききてそうろう。

右の文中の「如来」・「弥陀仏」は、先の「無上仏」の別名にすぎないし、おわりに引いた言葉は、一・絶対にうたれたニーチェが「善悪の彼岸」において諸事物を「救済」・「祝福」していた姿と重なりもするからである。それ故右の事実を踏まえれば、私たちはまた、これまでと同様、私たちの生や詩をめぐって、それらの究極的な母胎は、自然・「おのずから」にあると言えることになってくるということ、それは、先に引いた朔太郎やヴァレリー、西脇やプルーストの言葉をもっても確かめられるのである、それらの言葉は、みな、これ以外にないという一・絶対・必然に遭遇するそこで語られていた言葉だったからである。

詩の深さと美しさをめぐって

――世阿弥・芭蕉の所説を顧みて

（一）　妙ということと無心ということ

世阿弥の能楽論書は、詩を対象とした論稿ではないが、それを読んでいると、詩の深さや美しさ、豊かさを改めて教えられる。世阿弥が能をめぐって語っている事実は、芭蕉が句作りをめぐって述べいる事実と深い符合を示しているし、その符合にしても、これまた偶然に生じているのではなく、その底に、洋の東西を貫く詩心が潜んでいて、それは、そこより生じている事態と思われてくるからである。

依って以下、その事実を見てゆきたいが、たとえばここで、世阿弥が、その「花鏡」の中で、「十二分に極《きは》めたる為手《して》も、面白き所のなきもあり。初心より面白き所のあるもあり。」と述べながら、その「面白」さをめぐって、次のように語っていた事態を考えてみていただきたい。（引用は、岩波書店・日本古典文学大系『歌論集　能楽論集』所収本に依る）

又、面白き位より上に、心にも覚《おぼ》えず、「あつ」と云《いふ》重《ぢゆう》（段階。位。―頭註）あるべし。是《これ》は感なり。これは、心《こころ》にも覚《おぼ》えねば、面白《おもしろ》しとだに思《おも》はぬ感《かん》なり。爰《ここ》を「こん（混―筆者）ぜぬ」とも云《いふ》。然《しか》れば、易《えき》には、感と云《いふ》文字の下、心を書《か》かで、咸《かん》ばかりを「かん」と読《よ》ませたり。是《これ》、誠《まこと》の「かん」には、心もなき際《きは》なるがゆへ《ゑ》なり。

右の言葉は、能役者なら、当然わきまえていなければならない事実として語られているが、そこで述べられている、「面白しとだに思はぬ感」、だから「感」より「心」を省いた、無心の「咸」こそは、芭蕉をして、句作りをめぐって、次のように語らせていた事態でもあったからである。（引用は、前記『連歌論集・俳論集』所収『三冊子』に依る）

句作りに、成るとすると有り。内をつねに勤めてものに応ずれば、その心の色句と成る。内を常に勉めざるものは、ならざる故に私意にかけてする也。

松の事は松に習へ、竹の事は竹に習へと師の詞のありしも、私意をはなれよといふ事也。……習へといふは、物に入つてその微《び》の顕《あらは》れて情感ずるや、句と成《な》る所也。たとへば、ものあらわ《は》にいひ出でても、そのものより自然に出づる情にあらざれば、物我二つに成《な》りて、その情誠に不至《いたらず》。私意のなす作意也。

右で語られている、「私意」の排除を踏まえての、芭蕉の句作りの主張は、無心・無我の無を介して、そのまま世阿弥の語る「面白しとだに思はぬ」事態、だから心なき「感」の事態と重なるからである。つまり、右の言葉は、一方は能を演ずる者としての言葉、他方は句作にたずさわる者の言葉という相違はあるが、それらは、ともに「心にも覚えず、『あつ』と云」事態、だから「面白しだに思はぬ」事態・純粋無垢の、何をも「こんぜぬ」事態を踏まえ語られているということ、従ってその事実を踏まえれば、詩の深さや美しさ、豊かさをめぐって、それらは、無を踏まえ生み出されていると言えることにもなってくるのである。その無こそは、何をも「こんぜぬ」・純粋無垢を意味しているからである。

そして私たちはその事実を、世阿弥がその「拾玉得花」の中で、能が引き出す感興を、こまかく〝妙・花・面白〟の三つに分け、その三つをめぐって、次のように語っていた事態を考えても確かめられる。

言語《ゴンゴ》を絶《ゼッシ》たりしは妙《メウ》、既《スデ》に明白《メイハク》となるは花《クワ》、一点付《テンツク》るは面白《オモシロキ》なり。然者《（しかれば）》、無心の感、即心《（そくしん）》はただ観喜《クワンギ》のみか。
覚《おぼ》えず微笑《ミセウ》する機《き》、言語《ゴンゴ》絶《ゼッシ》て、正《マサ》に一物《モツ》もなし。爰《こゝ》を「妙なる」と云《（いふ）》。

「覚えず微笑する機」とは、先に見た「心にも覚えず、『あつ』と云」事態を意味しているし、その「一物もなし」の状態も、これまた先に見た、純粋無垢の「こんぜぬ」状態、だから無心や無我、無念無想の無と重なるからである。つまり「妙」とは、即座の「咸」、「花」は、その「咸」より脱出、対象化した時の「感」、「面白」は、その「花」の状態を更に一歩深く対象化した状態を意味しているということ、だからその「妙」は、自分が知らないうちに感じさせられている事態として、先に見た無心の「咸」の、単なる言い換えにすぎないということ、従って私たちは、その事実を介して、詩の深さや美しさ、豊かさが、「こんぜぬ」無を踏まえ生み出されていることを確かめることが出来るのである。

あるいはここで、右の事実をめぐって、世阿弥が、同じ「花鏡」の中で、「せぬひま」を尊んでいたり、逆に芭蕉が先に触れもした『三冊子』の中で、技術的な「功者」を忌み嫌いつつ、「俳諧は三尺の童にさせよ。」と言ったりしていた事態を考えてもよいかもしれない。「せぬひま」とは、わざとわざとの間を無心の形でつなぐことを意味しているが、その無心は、芭蕉の「私意」の排除と符合しているし、その「童」の尊重のうしろにも、これまた同じ「私意」の排除、だから無心や「おのずから」を尊ぶ事態が潜んでいるからであって、その事実は、芭蕉が句作りをめぐって、それは「無分別に作すべし」（『去来抄』）と言っていたこととも、これまた通底しているからである。分別とは、いうまでもなく、あれやこれや、「私意」をめぐらすことを意味しているからである。

（二）　東洋の心と芸

右で、世阿弥と芭蕉とが、あれかこれかの分別や「私意」を嫌い、無心・「おのずから」を尊んでいる事態を見たが、その事態の背後には、これ以外にはありえないという一・絶対の体験が潜んでいたということ、そしてその体験こそは、これまた彼らをして、能役者、句作りの名人たらしめていた事態であって、それらの事態は、究極的には、彼らがともに禅を体現していたという事態、だから具体的に言えば、芭蕉が禅僧仏頂のもとで参禅していたり、世阿弥が六十歳以前に出家し、その菩提寺が曹洞系の補巌寺《ふがんじ》であったりしていた事態へとゆきつくのである。無心や「おのずから」は、あれかこれかの分別や「私意」が消え去るそこに生じるが、その消去は、相対が、これ以外にないという一・絶対に遭遇するそこに生じるし、私たちは、的確無比の、眼にもとまらない早わざを、神わざと言い、その使い手を名人・名手とも呼ぶが、そのわざは、使い手が迷いより脱出、一・絶対を体現するそこに生み出されるし、禅僧を禅僧たらしめる開悟の体験も、修行者が、一・絶対に遭遇、あれかこれかの迷いや不安が消え去る、そこに生み出されるからである。

つまり、無心・「おのずから」とは、私たちが、一・絶対に遭遇、相対が消えるそこに生み出されるということ、そしてその一・絶対こそは、禅・禅僧の母胎であると同時に、名人・名手の母胎でもあったということ、従って、無心・「おのずから」を尊んでいた世阿弥、芭蕉が、芸の名人・名手であるとともに禅を体現していたのは、偶然のことではなく、それらは、彼らが一・絶対を体験していたその結果と言えることにもなってくるのである。

私たちは、先程、世阿弥が、能を「面白し」と感じたその瞬間をめぐって、「妙」という言葉を使用しながら、「言語を絶た」「正に一物もな」き状態と語っていたり、「心にも覚えず、『あつ』と云」瞬間と表現したりしていた事態を見たが、右の事実をめぐって、今一度その事実を想い返してみていただきたいのである。「言語を絶た」「妙」という事態、「一物もな」き状態こそは、人知を超えた、禅僧の、開悟の折の無の、何をも「こんぜぬ」状態と重なるし、その「あつ」という事態も、これまた、西田幾多郎が自分の禅体験を踏まえつつ、経験の原初をめぐって、「あつ」と表現していた事態と符合しもするからである。つまり、西田と世阿弥とが、経験の原初をめぐって、時空を超えて、同一の表現をしているのは偶然のことではなく、それは、彼らがともに禅の体験を共有していたからで、従ってその事実は、世阿弥の、禅体験の深さを物語っていると言えるのである。

そして右の事実は、世阿弥が、先程見たごとく、「せぬひま」を尊んでいたり、その事実をめぐって、次のように語ったりしていた事態を考えても、これまた明らかになってくる。

惣《そう》じて、即座に限《かぎ》るべからず。日々夜々《にちにちやや》、行住座臥《ぎやうぢうざぐわ》に、この心を忘《わす》れずして、定心《ぢやうしん》につなくべし。かやうに、油断《ゆだん》なく工夫《くふう》せば、能いや増《ま》しになるべし。（「花鏡」）

「せぬひま」とは、先にも触れたように、わざとわざとの間を、心を労せず、無心という形でつなぐことを意味しているが、それは、禅僧が尊ぶ没蹤跡という事態、だから行為しながら、行為のあとをとどめないことを尊ぶ事態と符合しているし、右で語られている「この心」が、無心の心・「咸」を意味している事態を踏まえれば、その文は、絶対を体現しつつ、一瞬一瞬を生きることを説いた、禅僧南泉の「平常心これ道」と、これまた符合しもするからである。

つまり、世阿弥が、無心の心を「忘れずして」「日々夜々、行住座臥」を過ごせと説いていることは、禅僧と同様、彼がこれ以外にはないという一・絶対を一刻も忘れずに生きよと言っていること、だから〝永遠の今〟を忘れずに、今・ここにおいて生きるように、と説いていることに他ならないということ、従ってそれこそは、世阿弥の禅僧性を物語っていると言えるのである。

あるいはここで、逆に、右の事実に関して、禅僧雲門が説いた「日々是好日」や、よく知られた傅《ふ》大士《だいし》の次のような偈の一句を考えてもよいかもしれない。

空手にして鋤頭を把り
歩行して水牛に騎る
人橋上より過ぐれば
橋は流れて水は流れず

「日々是好日」とは、迷いより解き放たれて絶対を生きる事態、だから今ここにおいて永遠を生きていることを説いた言葉だし、右の偈の「空手にして鋤頭を把」る事態も、手を使いながらその跡をとどめない事態として、世阿弥の説く、無心を介してわざとわざをつなぐ事態、だから「空手」にてわざをつながせようとしていた事態と重なるし、その偈の後半の言葉も、相対的な分別より解き放たれた「妙」・不可思議の表現として、仏の出所・誕生の地を問われての、禅僧の「東山水上行」

とか、「青山常運歩」とかの言葉と重なりもするからである。

そして芭蕉の禅僧性に関しては、彼が句作りの糧として旅を選んだり、「高悟帰俗」や、俗語の純正化を説いたりしていた事態を考えても明らかになってくる。旅の選択の背後には、相対な分別や「私意」の主体としての「私」の消去なくしては、絶対の把握は不可能という事態が横たわっているし、その「高悟帰俗」も、絶対の把握を介しての、相対的な個物や現象の、新たな意味の発見という事態、つまりは、相対が絶対を体現しつつ存在しているという事態の発見が潜んでいるし、その俗語の純正化・聖化にしても、これまた、言葉が社会的な次元において束縛され、固定化・自性化されている事態からの、絶対を介しての解放・成仏を願ってなされているからであって、それらの事態は、一修行僧より、「仏とは何か」と問われての、禅僧趙州の「庭前の柏樹子」との答えを考えても明らかになってくる。「柏樹子」という個物が体現している、その一・絶対としての仏こそは、芭蕉が旅において把握しようとしていた一・絶対であったし、それこそは、彼をして「高悟帰俗」や、俗語の純正化・聖化をとなえさせていた母胎だったからである。

（三）　洋の東西を貫く詩心
―詩的体験の根源としての絶対の体験

世阿弥と芭蕉が、禅を踏まえつつ、一・絶対を体現、自分の芸において、無心や無我・「おのずから」を尊んでいた事態を見たが、同じ事態は、禅とは無縁の、西欧の詩人や小説家、思想家においても見られる。

たとえば、「もっとも美しいものは、またもっとも聖なるものである」と語っていたヘルダーリンが、「わたしたちははかない力をつくして、美しいものを打ち立てようともがいている。だが、美しいものは、なんの苦もなくわたしたちのすぐそばに育っているのだ。」（引用は、筑摩書房・世界文学大系26所収『ヒュペーリオン』に依る）と言っていたり、ボードレール、リルケが次のようなことを語ったりしていた事態を考えてみていただきたいのである。

時として、個人性が姿を消し、汎神論的な詩人に固有なあの客観性が、諸君の中で異常なまでに発展して、外的事物の観照が諸君自身の存在を忘却させ、やがてはそれらの事物と一体となるようなことがある。（人文書院・ボードレール全集所収『人工の天国』）

たいへん妙なことでした。――一つ一つの詩が私の特徴の出ている二、三の箇所にいたるまで筆がひとりでに動いて出来上ったのです。……でも、私が作ったらとてもそのような形にはならなかったでしょう。三晩つづいた高揚的気分から生まれたものでした。（河出書房・『晩年のリルケ』）

ヘルダーリンの言葉は、絶対性を身におびた美は、「おのずから」という形で生み出されるということを告げているし、ボードレールの言葉も「おのずから」を踏まえた言葉で、それは、私たちが先に見た芭蕉のことば、繰り返せば「松の事は松に習へ、竹の事は竹に習へ」という言葉と重なるし、リルケのその言葉も、これまた「知らないうちに」という事態、「おのずから」という事態を踏まえての言葉だからである。

あるいはここで、その事実に関して、マラルメが、アンリ・カザリス宛の書簡の中で「『美』はただ一つの完璧な表現しか持っていない」と言いながら、その「詩の危機」の中で「純粋な著作の中では語り手としての詩人は消え失せて、語に主導権を渡さなければならない。」（ともに、引用は、筑摩書房・世界文学大系に依る）と語っていたり、ブルトンが、その『通底器』（引用は、人文書院・アンドレ・ブルトン集成所収に依る）において、次のように語ったりしていた事態を考えてもよいかもしれない。

互いに可能なかぎり遠く隔たっている二つの対象を……だしぬけで心を打つやり方で出会わせること、これが詩が志向しうるもっとも高い務めでありつづける。……　打ち砕かねばならぬもの、それはそれら二項のまったく形式的な対立である。克服せねばならぬもの、それはこの二項の表面上の不均合、人が時間と空間との性質、外面性についていだく不完全かつ幼稚な考えにのみ依っている不均合である。……あたかも二つの異なる物体が互いに擦り合わされ、閃光を通じて、火のうちにそれらの至高の一体性に達するように。

右の二つの文においては、「おのずから」を踏まえての、相対を介しての、絶対の把握が目指されているが、そのあり方は、禅は勿論のこと、禅を踏まえての、世阿弥・芭蕉の、「おのずから」を介しての、絶対の希求と符合しているからである。

そして、禅を体現した世阿弥・芭蕉と、禅とは無縁の、西欧の諸詩人との、時空の差異を超えてのその符合は、私には偶然のこととは思えないのである。

それは、世阿弥と芭蕉とが、禅を踏まえつつ、これ以外にはありえないという真と信とを求めていたその結果と思われてくるからである。

つまり、詩と聖性（宗教）とは、一・絶対において通底しているが、世阿弥・芭蕉のみならず、西欧の諸詩人も、ひとしく一・絶対を求める人として存在していたということ、そこより、相対的な差異を超えて、上述の符合も生み出されるということ、従ってその事実を踏まえれば、私たちはまた、その符合をめぐって、それは、彼らがひとしく、霊感体験・震撼体験を共有していたその結果とも言えることになってくるのである。それらの体験こそは、相対的な分別・理性を超えて、私たちが〝ふと〟を介して心の底から打たれる体験、だから「咸」の、「あつ」と言わされる体験であるからである。

そしてその事実は、西脇順三郎がその『詩学』の中で、「『絶対』を求めるボードレールもマラルメもブルトンも禅坊主にすぎない。」と言っていたり、ニーチェが自分の詩的な体験を踏まえつつ、霊感をめぐって、次のように語ったりしていた事態を考えても確かめられるのである。

この状態になると、ほんの少しでも迷信の粕を体内に残し持っている人間なら、実際、自分は圧倒的な威力の単なる化身、単なる口、単なる媒介にすぎぬという想念を払いのけることはまずできないだろう。啓示という概念がある。筆舌に尽くしがたいほど確実に精妙に、何かが、人をして深く動揺せしめ感動せしめるような何かが、突如見えてくる、聞こえてくるという意味だ。この概念は、神がかりでもなんでもなく、要するに事実を述べているだけのことである。聞くだけで、捜し求めることをしない。受け取るだけで、誰がくれるのかを問いはしない。稲妻のように一つの思想がきらめく、必然性をもって、ためらいを許さぬ形で——私はいまだかつて、どうしようかとためらって、どっちかに決めるというようなことをしたことがない。まさに一つの恍惚境である。(中略) 一つの完全な忘我の境にありながら、爪先に至るまで無数に小刻みに震え、ぞくぞくしているのをきわめて明瞭に意識している。(理想社・ニーチェ全集所収『この人を見よ』)

西脇は、絶対を見つめつつ、西欧の諸詩人を「禅坊主」としているが、その事実を踏まえれば、禅を体現していた世阿弥や芭蕉の語っていた事実と、西欧の諸詩人が語っていた事実とが符合するのは当然ということになってくるし、ニーチェが絶対を踏まえつつ語っている言葉、つまりは「完全な忘我の境にありながら、爪先に至るまで無数に小刻みに震え、ぞくぞくしているのをきわめて明瞭に意識している」という言葉は、鈴木大拙が、絶対を踏まえつつ語っていた「無分別の分別」

と重なりもするからである。

あるいはここで、自分の詩的体験を踏まえての、ヴァレリー、プルーストの次のような言葉を考えてもよいかもしれない。

或る最初の一詩句はただ全く出来上がって見出されたばかりか、変更不能のものとして、一必然の結果として私に現われたということが、起ったのでありました。（筑摩書房・ヴァレリー全集所収「芸術的創造」）

単なる理知のみによって形づくられた思想は、論理的な真理、可能な真理しかもたない。そのような思想の選択は任意にやれる。……といってわれわれの形づくる思想が論理的に正しくないというのではない。真実かどうかわからないというのだ。（新潮社・『失われた時を求めて』）

右の二文は、相対的な分別を超えた「妙」の体験、だから禅や世阿弥・芭蕉が体現していた「妙」と符合しているからである。

(四) ヤスパースの所説を顧みて

右で見た諸事実は、禅や、それを体現していた世阿弥、芭蕉の詩心・心性の奥深さ・広さを物語っているが、ここでは、これまで触れてこなかった一人物、ヤスパースの所説を顧みてみようと思う。その所説を介して、私たちはよりはっきりと、上述の諸事実を確かめることができるように思われもするからである。

以下、その事実を見てゆきたいが、たとえばここで、彼が「哲学入門」の中で、「もし私たちが私たちの哲学的な根本的操作によって……私たちを縛りつけている束縛を解いたならば、神秘主義の精神が理解できるでしょう」と言いながら、「ヨーロッパのもっとも偉大な神秘主義者であるプローティーノス」の次のような言葉を引いていた事態を考えてみていただきたいのである。(引用は、新潮文庫のそれに依る)

私は肉体のまどろみから目ざめて我に帰るとき、しばしば不可思議な美を見る。そのとき私は、いっそう優れた、いっそう高い世へ属していることをもっとも堅く信ずる。そして私の体内にすばらしい生命が力強く沸き上がってきて、私は神性と一つになってしまうのだ。

右の文中の「肉体のまどろみから目ざめて我に帰るとき」とは、「肉体へのとらわれから解き放たれて、本当の〝私〟に帰るとき」との意味と思われるが、彼がそこで述べている「私たちの哲学的な根本的操作によって」至りつける「神秘主義」が、次のようなものであることを考えると、プローティーノスが述べている「不可思議な美」とは、世阿弥や芭蕉が体現していた「妙」の美と思われてくるし、その「神性」もこれまた、万物の母胎としての仏性と言い換えることができると思われてくるからである。

すなわちそれは、人間は主観＝客観の分裂を越えて、主客の完全な合一へ到達することができる、そしてそこではあらゆる対象性も自我も消滅するというのであります。そのとき本来の存在が開かれ、そして目ざめるとき、それはもっとも深い、汲みつくすことのできない意味の意識を残すのであります。しかしこのことを経験した人にとっては、あの主客の合一は本来の目ざめであって主観＝客観の分裂状態における意識への目ざめは、むしろ眠りであります。

右で述べられている、本来の「目ざめ」とは、主客の相対が消えた無の状態として、禅の、絶対を介しての無の体験、だから開悟の体験と見做せるし、その無は、これまた、世阿弥や芭蕉の、無心や「おのずから」の母胎としての無と言えもするからである。

つまり、右の文が、禅や世阿弥・芭蕉を物語っていると把えることができるとするならば、その文を踏まえた先の文中の「不可思議な美」や「神性」は、逆に、世阿弥や芭蕉が体現していた美と言えるし、その「神性」もまた、仏性と置き換えることができるということ、従って、先に掲げた文は、禅や、世阿弥、芭蕉が体現していた、詩心や心性の奥深さ・広さを物語っていると言えることになってくるのである。

そしてその事実は、彼が「インドの禁欲主義者」や「中国や西洋における幾人かの僧侶」をめぐって、次のように語っていた事態を考えても確かめられる。

数千年の歴史は、世界を超越した人々についての感動すべき出来事を示しています。インドの禁欲主義

——それに中国や西洋における幾人かの僧侶——は無世界的な冥想によって絶対者を覚知するために、世界を捨てたのであります。世界は消滅したかのようであった。存在が——世界の側から見られると無が——いっさいであったのであります。

右の文中で、「世界を超越した」とか、「世界を捨てた」とか語られている事態こそは、彼が先の文で語っていた「私たちの哲学的な根本的な操作によって……私たちを縛りつけている束縛を解いた」事態、だから主客の相対が消えて、「対象性も自我も消滅」した事態を意味しているからで、右で語られている「無」こそは、従って、相対が消えるところに生じる、禅の無とピタリと符合するからである。

つまり、存在者を存在者たらしめている、母胎としての存在が、右で「無」と言い換えられているのは、存在は存在者とは違って一個の対象としては姿をあらわさないからだということ、従って存在は、私たちの〝私〟のありようによって、無と表現されたり、存在と表現されたりもするということ、その両者は、だから万物をあらしめるということに関しては同じことを表現しているということ、そこより右の「無」を仏性として把える事態も生じてくるのである。

そして私が心惹かれるのは、今引いた言葉に続けて、彼が次のようなことを物語っていたという事実である。

このような観想によっていっさいの現存在は言葉と化し、透明になり、永遠者のかりそめの現象となり、永遠者の法則の無限遍在となったのであります。彼にとって時間は永遠のうちにおいて消え去って、現世的な言葉となって現われたのであります。

右の言葉は、私流に言い直せば、次のようになるからで、その事実を踏まえれば、右のヤスパースの言葉は、道元の「峰の色谷の響きもみなながらわが釈迦牟尼の声と姿と」という歌や蘇東坡の「谿声便ち是広長舌、山色豈に清浄身に非んや」という詩句、更には芭蕉が言及していた、古池の音や山寺の蟬の声を想い出させるからである。

主客分化したそのあとの、主観としての〝私〟や、その〝私〟の対象としてあった世界を一時的にないものとして、存在（無）を見据えられるような「観想」の地点にたたずむことによって、「いっさいの現存在は」、存在（無）の暗号と「化し」、相対的な自性性やそれを踏まえ成立している差別よりも解放されて、存在（無）の「かりそめの現象とな」って成仏し、存在（無）の「法則の無限遍在」という形に「なったのであります。彼にとって」相対的な「時間は永遠のうちにおいて消え去って」、それが、逆に「現世的な言葉となって現われたのであります。」

「峰の色」や「谿声」、古池の水音や蟬の声は、道元や蘇東坡、芭蕉にとっては、一・絶対の暗号として立ち現れていたはずだからで、それ故その事実を踏まえれば、ヤスパースが、右の文に続けて語っていた次の言葉も、これまた、私には芭蕉そのひとを語っている言葉とも思われてくるのである。

西洋の学者・哲学者・詩人・それにまれには実践家さえもが、どんなにこの世に結びついていたにもかかわらず、あたかも常に外からやってきた者のように、この世を通りすぎていったのであります。彼らは遠い故郷を離れてきて、この世において自己と事物を見いだし、そしてこれらのものと親密に交わりながら、永遠者を想起するために、有限的現象を越えたのであります。

芭蕉こそは、この世に身を置きながらも、それへのとらわれから解き放たれていたがゆえに、この世や、この世の諸事物、諸事象とこれ以上ないという形でじかに親しく交わりつつ、一・絶対をも追い求めゆくひと、だから「高悟帰俗」を求めるひととしてあったからである。

そして私には右の符合も、これまた偶然のこととは見えないのである。ヤスパースの所説は、人間が有限であるゆえに遭遇する、限界状況を見つめつつ、一・絶対を求めるそこに成立しているが、その限界状況が立脚している有限性こそは、仏教が踏まえている無常や無自性・虚無や暗黒と重なっているからである。

つまり、ヤスパースも、仏教も、ともに、人間の限界状況を見つめつつ、霊感体験・震撼体験をバネとして、それらからの脱出、解放を求めているそこより、その符合は生じてきているのである。それ故その事実を踏まえれば、禅は勿論のこと、それを体現していた世阿弥や芭蕉の深さや広さ、豊かさも、相対で有限なこの世との接触を忘れずに、一・絶対を追い求めているそこにあったと言えることにもなってくるのである。

詩にとっての新しさと「誠《まこと》」ということ

――芭蕉の、現代の詩に対して持つ意味をめぐって

（一）　はじめに

現代の詩を論じるにあたって、芭蕉を持ち出すことなど、一見見当はずれのように思われるかもしれないが、今日は、それを承知のうえで、今一度、彼に触れてみたい、そう思うのである。彼をとおして、今、詩がかかえている問題は勿論のこと、東洋の心性や思惟が持つ意味の深さや広さ、だから普遍性を確かめることが出来るように思われるからである。つまり、芭蕉は、時空を超えた普遍性を体現しているということ、それ故私たちは、彼を介して、今詩がかかえている問題や、東

洋の心性や思惟が所持している普遍的な意味を考えることができるように思われるのである。

（二）「おのずから」ということと「われ」の消滅

よって以下、彼や彼の作品が持っている意味を探って行きたいと思うのであるが、そのことを考える時、私のなかには、たとえば芭蕉の弟子服部土芳の、次のような言葉が浮き上ってくるのである。

「松の事は松に習へ、竹の事は竹に習へ」と師の詞ありしも、私意をはなれよといふ事也。この習へといふ所を己《おの》がままにとりて、終《つひ》に習はざるなり。習へといふは、物に入ってその微《び》の顕《あらは》れて情感ずるや、句と成《な》る所也。たとへ、ものあらはにいひ出でても、そのものより自然に出づる情にあらざれば、物我二つに成《な》りて、その情誠に不至《いたらず》。私意のなす作意也。（岩波書店・日本古典文学大系66所収『三冊子』）

右で述べられている「自然に出づる情」とは、芭蕉が「私意」や、「物我二つに成」った状態を嫌っているその事実を考えてもわかるように、主客が分裂した以後の、相対的な「私」にまつわる私情とは無縁の情、だから絶対性をおびた情を意味しているのであって、その情が、句の母胎であるという事実を踏まえれば、その情の絶対性こそは、彼をして、これ以外にはありえないという絶対性をおびた詩句、だから、あれかこれかの迷いとは無縁の詩句を追求させた母胎として、彼を俳聖たらしめた根本的な事態と思われてくるからである。つまり、彼が語る情の「誠」・「誠」の情とは、主客が分裂する以前の、無念無想、無心無我の無・一を意味している情で、その情を、彼が句作りの母胎としていた事態を踏まえれば、彼をして、これ以外にはありえないという詩句を求めさせたのは――ということは、彼をして俳聖たらしめたのは、ということにもなってくるが――、その情の「誠」、一・絶対性をおびた「誠」と思われてくるのである。

そしてその事実は、「自然に出づる情」が、「私意」とは無縁の、「おのずから」という形で生じる情であるという事態を考えても明らかになってくるように思われるのである。「自然に出づる情」とは、「おのずから」という形において生じる情を意味しているが、その情の、「私」が気がついた時には「既に」というあり方こそは、彼をして、絶対性をおびた詩句の、眼にもとまらない速い把握の母胎と思われもするからである。つまり、彼の詩句の、これ以外にはありえないという的確無比性と、その詩句の把握の、眼にもとまらない速わざこそは——ということにもなってくるが——、「私」なき、一・絶対を踏まえ成立していると言えるのであって、従って、私には、それらの同居は、偶然のこととは思えないのである。

そしてその事実は、たとえば土芳が同じ『三冊子』の中で、次のように語っていた事態を考えても確かめられるのである。

師、句作り示されし時「腹に戦ふもの、いまだ有り」と也。感心の趣也。是、師の思ふすじ(ぢ)にうとく、私意を作る所也。元を勤めざれば成るといふ事なく、ただ私意を作る也。工夫して私意を破る道あるべし。

句作りに、成るとすると有り。内をつねに勤めてものに応ずれば、その心の色句となる。内を勉めざるものは、ならざる故に私意にかけてする也。

功者《こうしゃ》に病《やまひ》有り。師の詞にも「俳諧は三尺の童にさせよ。初心の句こそたのもしけれ」など、度《たび》〱云い(ひ)出でられしも、みな功者《こうしゃ》の病を示されし也。

「腹に戦ふもの、いまだ有り」とは、これ以外にありえないという絶対より見放された状態だし、その「成る」も、「私意」とは無縁の、「自然に出づる情」を踏まえ成立しているし、その「功者」の拒否、「三尺の童」と「初心の句」の尊重のうしろにも同じ事態、だから「私意」の否定、「自然に出づる情」の尊重が潜んでいるからである。

あるいはここで、右の事実をめぐって、向井去来が伝える、芭蕉の「俳諧は季先《きさき》を以て無分別に作すべし」という言葉や、芭蕉をめぐっての、彼の次のような言葉をここで考えてもよいかもしれない。（引用は、ともに『去来抄』）

先師曰く「今のはいかいは日頃に工夫を経て、席に望んで気先《きさき》を以て吐くべし。心頭に落すべからず」と也。

「気先」とは、私が気がついた時には「既に」という事態を踏まえた言葉として、そのうしろには、「私」とは無縁の「自然に出づる情」が潜んでいるし、「無分別」を尊んだり、「心頭に落す」ことを嫌ったりするところにも、あれかこれかの迷いや不安とは無縁の、絶対を体現している一人物がいるからである。

（三）異質を貫く一・絶対の把握
―「高悟帰俗」と「不易流行」について

そして心惹かれるのは、右で見た、相対とは無縁の、「誠」の情・情の「誠」の絶対性こそは、芭蕉が語る「不易流行」とは勿論のこと、「高悟帰俗」とも密接な関係をもっているということである。その二つの主張は、芭蕉を芭蕉たらしめている重要な主張だが、たとえばここで「不易流行」をめぐっての、去来と土芳の、次のような言葉を考えてみていただきたい。

吾《われ》これを聞けり。句に千載不易のすがたあり。一時流行のすがたあり。これを両端に教へ給へども、その本一なり。一なるとはともに風雅の誠をとれば也。不易の句を知らざれば本たちがたく、流行の句を学びざれば風あらたまらず。よく不易を知る人は、往々にして移らずといふことなし。たま〳〵一時の流行に秀《ひい》でたるものは、ただおのれが口質の時に逢ふのみにて、他日流行の場にいたりて、一歩も歩むことあたはずと。

（「贈晋子其角書」）

師の風雅に万代不易《ばんだいふえき》あり、一時の変化あり。この二つに究《きは》まり、其本《そのもと》一つ也。その一《ひとつ》といふは風雅の誠也。不易を知らざれば実《まこと》にしれるにあらず。不易といふは、新古によらず、変化流行にもかゝわ《(は)》らず、誠によく立ちたるすがた也。代々の歌人の歌をみるに、代々其変化あり。また新古にもわたらず、今見る所むかしみ《(見)》しに不替《かわらず(変)》、哀成るうた多し。是まず不易と心得べし。又千変《せんぺん》万化する物は自然《じねん》の理也。変化につらざれば風あらたまらず。是に押《おし》うつらずと云ふは、一端《(旦)》の流行に口質《くちくせ》時を得たるばかりにて、その誠を責めざるゆ《(ゑ)》へ也。せ《(責)》めず心をこらさゞる者、誠の変化をしるといふ事なし。ただ人にあやかりてゆくのみ也。せむるものはその地に足をすへ《(ゑ)》がたく、一歩自然に進む理也。行く末いく千変万化する共《とも》・誠の変化はみな師の俳諧なり。かりにも古人の涎《よだれ》をなむる事なかれ。四時《しいし》の押《おし》うつるごとく物あらたまる、皆かくのごとし共《とも》いへり。

（『三冊子』）

去来が語る「一時の流行に秀でたるもの」への批判は、「誠」を忘却、目先の新しさや珍奇をさえ求めがちな、現代詩への痛烈な批判を含んでいるとも言えるが、右の文で言及されている「不易流行」の母胎としての「風雅の誠」こそは、土芳が、句を生み出す母胎としての情をめぐって、「ものあらはにいひ出でても、そのものより自然に出ずる情にあらざれば、物我二つに成りて、その情誠に不至」と言っていた「誠」を意味しているからであって、「不易」と「流行」という、相反する、不思議とも言える同居を生み出しているのも、これまた、主客が分裂する以前の一・絶対という「誠」の事態だからである。つまり、「不易」とは、一・絶対を時間的観点から把えた名称で、従ってそれは「永遠」とも言えるということ、そしてその「流行」(変化・新しさ)も、これまた、一・絶対としての「永遠」の、自己否定を介しての、それの相対化において生じているということ、従って、その「不易」と「流行」(変化・新しさ)は、現象的には差異を呈してはいるが、本質的には同一性を所持しているのであって、そこよりそれらの同居も生じているということ、それ故その同居は偶然の出来事ではないのである。

そして芭蕉が「不易」と「流行」とを一体として把えていた事態は、彼が新しさ(変化)を「俳諧の花」としていながらも、去来が、その「花」をめぐって、「一時の流行に秀でたるもの」を否定していたり、土芳が「誠」を「せめず心をこらさゞる者、誠の変化をしるといふ事なし」と語ったりしていたことは少しも矛盾しはしないのである。芭蕉は、「不易」と「流行」との一体性を認め、「俳諧の花」の重要性を力説しはするが、「不易」を体現していない「流行」の「花」は認めないからであって、その去来、土芳の主張も、その事実を踏まえ語られているからである。

つまり、芭蕉は、「流行」（変化・新しさ）を尊んではいるが、それは、それが「不易」を体現している限りにおいて尊んでいるのであって、「流行」（変化、新しさ）を無条件的に尊んでいるのではないということ、彼は「永遠」・「不易」を体現している新しさを「誠」の新しさとしているのである。

あるいはここで、その事実をめぐって、先に見た、芭蕉の「松の事は松に習へ、竹の事は竹に習へ」という言葉を、今一度、想い起こしてもよいかもしれない。その言葉のうしろには、松や竹を、ただ松や竹であるからといって尊んでいるのではない事態、たとえば「許六を送る詞」に記されている「古《いにしへ》より風雅に情ある人々は、後《うしろ》に笈《おひ》をかけ、草鞋《わらぢ》に足をいため、破笠《やぶれがさ》に霜露をいとうて、おのれが心をせめて、物の実《まこと》をしる事をよろこべり。」というような事態が潜んでいるし、その「物の実」、〝実の物〟を知ろうとする必死の想いこそは、これもまた芭蕉をして『笈の小文』（日本古典文学大系66所収）において、次のようなことを語らせていた事態だったからである。

見る処、花にあらずといふ事なし。おもふ所、月にあらずといふ事なし。像《かたち》花にあらざる時は夷狄《いてき》にひとし。心《こころ》花にあらざる時は鳥獣《てうじう》に類《るゐ》ス。夷狄を出《いで》、鳥獣を離れて造化にしたがひ造化にかへれとなり。

要するに、松や竹をめぐっての言葉や、「見る処、花にあらずといふ事なし。おもふ所、月にあらずといふ事なし」という言葉の背後には、いのちをかけた、一・絶対の追求が潜んでいるのであって、右で見た言葉は、従って、松や竹、花や月を無条件的に認めているのでないということ、そのうしろには、一・絶対を欠いた個物や個的現象を認めてはいない事態が潜んでいるのである。

そしてその事態は、先にも言及したが、芭蕉が語る「高悟帰俗」とも密接な関係を持っている。「高悟」とは、一・絶対を体現している「誠」の把握、つまりは「不易」の把握を意味しているし、その「俗」への帰還・帰俗とは、その一・絶対の把握としてのさとりを踏まえての、相対的な個物や個的現象の「誠」化・清浄化を意味していたからであって、それらの「誠」化・清浄化こそは、これまた、芭蕉をして、彼以前の、単なる機知的な遊び（大人のお遊戯）としての滑稽俳諧を「誠」の俳諧、だから「俳諧の花」としての蕉風俳諧を確立させた根本的な事態でもあったからである。

つまり、「高悟」の、「俗」への帰還・「帰俗」とは、単なる「俗」語の「誠」化を意味しているのではなく、詩語を生み出す母胎としての心・詩心の「誠」化を意味していたということ、そこにおいて初めて蕉風は確立されるに至ったと言えるのである。

(四) 「誠」と禅の体験

そして「不易流行」という言葉が、初めて文面に登場するのが、元禄二年の冬と言われている事実(たとえば、栗山理一『芭蕉の俳諧美論』参照)と、今一つ、彼がその少し前、明暦の大火をきっかけとして、深川へと移住、そこで、禅僧仏頂のもとで参禅の体験をしていたという事実を踏まえれば、私には、芭蕉をして、蕉風を確立させたのは——ということは、彼をして「不易流行」や「高悟帰俗」を語らせたのは、ということにもなってくるが——、仏頂のもとでの参禅の体験と思われてくるのである。芭蕉の、俗語や俳諧の「誠」化は、一・絶対を介しての「誠」化として、禅僧の、一・絶対との遭遇を介しての悟りを踏まえての、個物や個的事象の聖化や救済、だからそれらを成仏させようとする行為と重なるように思われるからである。

つまり、禅僧の悟りとは、彼らが、これ以外にはありえないという一・絶対に遭遇、あれかこれかの、迷いや不安をはらんだ相対的な分別を消失する体験を意味しているということ、そしてそこにまた彼らの、個物や個的事象の救済という使命感も生じるということ、従ってそれは、一・絶対を介しての救済として、芭蕉の俗語や俳諧の救済と符合するのである。簡単に言えば、芭蕉の語る「不易」・「高悟」は、禅僧の、悟りを目指しての向上・往相の道、逆に「流行」・「俗」は、向下・還相の道だということ、従ってまた、その事実を踏まえれば、芭蕉の、「不易流行」と「高悟帰俗」との主張をめぐって——ということは、彼が目指した、俗語や俳諧の「誠」化をめぐって、ということにもなってくるが——、私たちは、禅による俳諧・詩の把え直し・立派この上ない、換骨奪胎と言えることにもなってくるのである。

そしてその事実は、芭蕉が「物我二つに成」った状態や、「私意」を忌み嫌ったりしていた事態へと行き着くのである。それらの事態のうしろには、無心や無我、無念無想の無を尊ぶ事態が潜んでいるが、その無こそは、これ以外にはないという一・絶対に禅僧が遭遇、あれかこれかの不安や迷い、だから相対的な分別を失う無の体験・悟りの体験と符合するからである。

そして右の事実は、禅僧趙州が仏とは何かと問われて、「庭前の柏樹子」と答えていたり、芭蕉も言及している蘇東坡が開悟に際して「谿声便ち是広長舌、山色豈に清浄身に非んや。夜来八万四千の偈、他日如何が人に挙似せん」との一偈を呈示していたり、禅僧道元が次のような歌を残したりしていた事態を考えても明らかになってくる。

峰の色谷の響きもみなながらわが釈迦牟尼の声と姿と

右で述べられている事態の背後には、「私」さえなければすべては成仏しているという事態、だから悉皆成仏とか、諸法実相・現成公案とか言われている事態が潜んでいるが、その事態は、私たちが先に見た、芭蕉の、松や竹、月や花をめぐっての言葉の背後に、一・絶対を踏まえての、無私の「誠」が控えていた事態と符合しているということ、従って右の言葉は、俳人芭蕉の禅僧性は勿論のこと、禅僧の詩人性をもまた物語っていると言えるのである。

あるいはここで、右の事実をめぐって、西田幾多郎が自分の参禅経験を踏まえつつ、一と多、多相互の、無礙自在な、交感交流を見据えながら、「絶対矛盾的自己同一」という言葉を使用していたり、私たちになじみの「般若心経」がそこで「色即是空、空即是色」と歌っていたり、禅僧玄覚が、その証道歌において次のようなことを記したりしていた事態を考えてもよいかもしれない。

無明の実性即仏性
幻化の空身即法身

西田が語る「絶対矛盾的自己同一」とは、相対を消滅させる一・絶対の体験を踏まえた上での、本来同一化しえないものの、異質を超えての同一化として、芭蕉が語っていた、一・絶対を介しての同一化、だから「不易」・「高悟」と「流行」・「帰俗」との同一化や、ひとと松や竹との同一化と重なるし、「般若心経」や玄覚の言葉も、これまた、相対を無化する一・絶対を前提にした言葉だからであって、その事実を踏まえれば、右の言葉は、一・絶対をとおして、芭蕉と禅とのかかわりを物語ってくるからである。

私たちは先程、『笈の小文』の中の一文を見たが、右の事実は、その言葉の中の「造化にしたがひ造化にかへれ」という言葉を考えてもまた確かめられる。「造化」とは、自分以外のところに、自分の存在・行為の根拠を持たない、自由自在の絶対的な存在、つまりは、「おのずからしかり」という形で存在している「自然」を意味しているが、その「自然」の、あれかこれかの迷いや不安、分別とは無縁のあり方こそは、自由自在、独立自存、無依自在の仏の姿、だから真如としてのあり方に他ならないからであって、その事実を踏まえれば、芭蕉と禅との符合は、偶然のことではなく、芭蕉が語る「造化」と、仏のあり方との符合より生じていると言えることになってくるからである。

（五）　芭蕉の所説を前にして

右で芭蕉の禅体験を踏まえての所説を瞥見したが、それらは、たとえば西脇順三郎がその『詩学』の中で、「『絶対』を求めるボードレールもマラルメもブルトンも禅坊主にすぎない」と語っていたその言葉を踏まえれば、それは、芭蕉や、彼が体現している東洋の詩心や思惟の深さや広さを物語ってくるし、私たちが今眼にしている詩的な状況を考えれば、それは、これまたその状況に対する意味ある提言を提示しているようにも思われてくるのである。西脇のその言葉を踏まえれば、芭蕉を芭蕉たらしめていた「誠」は、絶対を介して、西欧の諸詩人の詩心と結びつくし、私たちの前には、全面的とは言わないが、「不易」や「高悟」を忘れた事態、つまりは、いっときの花にしか過ぎない〝新しさ〟や珍奇、単なる俗やその俗をさえ忘却した非現実的な〝作品〟、大人のお遊びにしか過ぎないような〝詩〟が跋扈・横行している事態があるからである、つまり、「不易」が、一・絶対の、別の呼称に過ぎなかったり、「高悟」が、これまた同じく、一・絶対の把握を意味していたその事実を考えてもわかるように、西脇の右の言葉を踏まえれば、芭蕉の「誠」は、逆に、東洋の詩心や思惟の深さや広さを示してくるし、それらは、私たちが今眼にしている詩的な状況に対しても、これまた、大切な示唆を指し示しているようにも思われてくるのである。

生命《いのち》の危機と知性

――修辞的と言われる、詩の現況を前にして

（一）　現在の詩的状況をめぐって

現代詩が置かれている状況をめぐって、吉本隆明は、かつて「修辞的現在」という言葉を使って、それを表現した。それは、自分の意志にかかわりなく、生の危機を見るように差し向けられた者が、生の軽視の風潮に堪えられず発した言葉とも言えるが、その風潮は、その発言後も、それほどかわったとも思われない。むしろ、経済的・政治的にも、より恵まれて、生への関心は、逆に薄弱になったと言った方が、より適切かもしれないと思わされもするが、心惹かれるのは、修辞とはいっても、

生の安定の偶然性を忘れたところでの、お遊びとしての修辞もあれば、生の危機を前にした修辞や、修辞の前提としての言語活動をさえ欠いたりしている事態もあるのであって、それらが混在しているところに、むしろ、今、詩が置かれている状況があるように思われるということ、従って私は、ここでは、後者二つの事態に焦点をあてつつ、論を進めてみたい、そう思うのである。それらの事態を見てゆくことによって、今私たちがかかえている問題は勿論のこと、詩や詩人のあるべき姿をも、改めて考えてみることが出来るように思われもするからである。

(二) 知性と、生・存在の喪失

よって以下、右の事実を見てゆきたいが、その事実を考えると、私の中に、たとえば三島由紀夫の次のような言葉が浮んでくる。

言葉さへ美しければよいのだ。さうして、毎日、辞書を丹念に読んだ。(「詩を書く少年」)

もう一度原子爆弾が落つこつたつてどうしたつて、そんなことはかまつたことぢやない。僕にとつて重要なのは、そのおかげで地球の形が少しでも美しくなるかどうかといふことだ。（『私の遍歴時代』）

言葉の実用性を全く無視して、「毎日、辞書を丹念に読ん」でいられるその少年の姿は、まさに吉本が語るところの、「修辞的な」姿と言えるが、その現実次元の、生の軽視のうしろには、たとえば次の文に見られるような、生・存在の喪失にさらされている悲劇が潜んでいるからである。

人生は舞台のやうなものであるとは誰しもいふ。しかし私のやうに、少年期のをはりごろから、人生といふものは舞台だといふ意識にとらはれつづけた人間が数多くゐるとは思はれない。（『仮面の告白』）

自分の「人生」が「舞台」にしか見えないのは、外見的には、この世に身を置き、自分の「人生」を生きているかのように見せながらも、実際にはそこに存在しておらず、その外に立って、そこにいる自分を、自分とは無縁の、一個の他人としてながめているからに他ならないということ、従ってその事実を踏まえれば、先の少年の修辞性のうしろには、三島そのひとの、この世における生と存在の喪失という事態が潜んでいると言えることになってくるからである。

そしてその事実は、同じ彼の、「スタア」の中の、次のような言葉を読めば、よりはっきりする。

僕の「役」は透明な膜のやうに僕を包み、僕をしつかり衛つてゐる。……もし監督が激して、僕に殴りかかつたとしても、彼の拳は空虚なものの中を泳ぎ、決して「僕」を殴りつけることができないのを、僕は知つてゐる。

監督に殴られかかっても、自分は殴られないとうそぶいていられるのは、殴られる場に、実際には自分が身を置いていないからで、殴られる自分を、他人のごとくながめていられるその「僕」の姿は、実人生の場に実際にはおらず、それを「舞台」として把えていた、かの『仮面の告白』の主人公の姿と符合しているからである。つまり、その「僕」の〝スタア〟としてのあり方と、『仮面の告白』の主人公が自分の人生を「舞台」として把えていた事態とはマッチしているのであって、そのマッチを生み出しているのは、三島の、生と存在の喪失という事態に他ならないのである。

そして右の事実は、三島が『豊饒の海』の中で、「生と存在感を犠牲にすることが大きいほど、知性はたっぷりと支払はれる」と語っていた事実へと行き着く。「知性」とは、自分が身を置くところの世界や、そこの諸事物、諸事象を、自分とは無関係の、一個の客体・対象として把える、冷徹・冷たさを意味しているからで、その把え方は、自分や、自分が身を置く世界を、〃スタア〃・「舞台」と把えていた先の事態と重なるからである。

そして右で見た事態は、同じく、西脇順三郎においても見られる。

たとえば彼の次のような、「詩と眼の世界」と『詩学』の中の言葉を考えてみて頂きたい。

一片の板を見てもただ板の与える視覚的な意味だけをうける。それは死なんとする人の眼に映ずる最後の存在の形式である。

私としてはポエジイは新しい関係を発見することであると実感として言える。そして私をよろこばせるような関係はみな超自然的なものであった。私は大詩人の詩作を読むときでも、(私の心を把えるのは、筆者)その中の自然や現実やテーマや筋ではなかった。その中に何についてその詩人が言っていようとそれには全く興味がなかった。

「死なんとする人」とは、いのち衰えて、この世における存在を失って、あの世へと旅立とうとしている人として、まさに三島が語るところの、この世における生と存在とを失いつつある人のあり方と符合しているし、「超自然的な」美にしか意味を見出しえない事態も、これまた、超現実的な美にしか意味を見出しえなかった、三島の、詩人・芸術家としてのあり方と重なりもするからである。つまり、西脇の、「超自然的」な美への嗜好と、三島の、実用とは無縁の、言葉への嗜好とは符合しているのであって、その符合を生み出しているのは、その両者の、この世における生と存在との非現実性・抽象性なのである。

(三) 居場所の喪失と言語活動の挫折

そして心惹かれるのは、私たちにとってごく身近な詩人、鈴木志郎康がその詩「母国語」の中で、

「私は母国に生活していて　生まれた町に生活していて　母国語を話したいと思い　私は理解出来ない」と語りながら、次のような〝詩〟を書いていたという事態である。

グンゾエゴーロ／デルゴーロ／ホモホモ

マンテルローエ／イブローエ／ミヒミヒ

グンゾエゴーロ／イブローエ／マハミヒモホ　（「口辺筋肉感覚説による抒情的作品抄」）

「母国語を話したいと思い」ながら、それを「理解出来ない」のは、外見的には「母国」にいながらも、実際にはそこにいないからであって、そこで語られているのは、修辞どころか、それを可能にする言語活動の実質的な挫折だからである。つまり、彼が「母国語」を「理解出来な」かったり、逆に私たちが、右の〝詩〟を「理解出来な」かったりするような、言語活動の、実質的な挫折は、私たちに原因があるのではなく、彼が、私たちと同じ状況の中に身を置いていない、知性性の、伸縮の自在性を欠いた、その過剰性に原因があると言えるのである。

そして同じ事態は、鈴木とほぼ同時期に活動した入沢康夫にも見られるのである。たとえばここで、彼が「詩についての三つの断章」や『重奏形式による詩の試み』の中で、〝詩は表現でない〟とか、「詩といふものがのっぴきならない心の中のものの、ぬきさしならない表示であるといふ一つの『思い込み』が厳としてある」とか、言いながら、前者において「『詩を書くとはどういうことか、詩を読むとはどういうことか』という、根本的で、しかもある意味で致命的な問いが、まさに『詩を書き』『詩を読む』ことにおいて、みずからをあらわしはじめている。」と語っていた事態を考えてみて頂きたい。後者の言葉の中には、鈴木と同様の言語活動の挫折、つまりは、読んだり、書いたりすることすらわからない（だから頭ではわかりながら、実感しえない）、詩人としての（あるいは、人間としての、と言ってもよい）「致命的な」挫折が語られているが、それは、彼が「表現」への内的な欲求・関心を欠いていて、疑問を介してしかそれに接しえない事態、だが、「表現」への意欲・関心を欠いていて、「おのずから」という形で、「表現」の場に自分を置きえないその結果と言えるからで、その彼の、詩人としての「根本的」条件の欠落は、これまた、彼が、詩における「至高点」の存在を否定、「ひらき直って言えば、詩においては、戦略論と本質論とは、元々別のものではありえない。」（『詩の構造についての覚え書』）と言っていたところにもあらわれている。本質論と戦略論とが一つになってしまうのは、本質としての「至高点」がわからないからであって、従って本質論を戦略論の中に解消することは、詩を「わからない」の中へと解消することを意味するからである。

(四) 主観としての「私」の無化と詩

つまり、世界やそこの諸事物、諸事象の対象化・客体化としての、知性の知性性は、科学を生む合理性の母胎でもあるが、それが、伸縮の自在性を欠くと、知性の荒野が現れるということ、従ってその事実を踏まえれば、私たちの生と詩との前には、その荒野が広がっていると言えることにもなってくるが、その事実を考えると、私のなかに、しばらく前に読んで深い感銘をうけた、辻邦生の『小説への序章』の中の、次のような文章が、これまた浮上してくるのである。

物語は時間的、もしくは因果的に逐一その全体を伝達する形式だから、そこには当然はじめがあり、おわりがある。そしてその物語全体を了解するためには、この一連の伝達がはじまってから終るまで、意識は、自らを無化して、そこに超越論的な地平を保たなければならない。意識に対して、事物が存在するためには意識が自己を超出（無化）して、明在の場をつくる必要があるからである。意識が自己を意識し、また集中をさまたげられて、事物から事物へさまようとき、われわれはその対象を完全に「有」にもたらすことはできない。

右で語られているのは、はじめとおわりをもった、有限な物語を前にした折の、私たちの、それの了解体験だが、私たちが日々生きている世界も、同じくはじめとおわりをもった有限な世界であるということ、従ってその事実を踏まえれば、そこで述べられている、「私」の「無化」こそは、世界やそこの諸事物・諸事象を、一個の対象・客体として把える知性の、主観としての「私」の「無化」として、私たちが直面している、生や詩の危機を救う重要な契機と言えるということ、そして私たちは、その事実を、たとえば、キーツが　詩人をめぐって、彼には〝自分などない〟と言っていたり、ランボオが、自分を詩人にさせもした「見者」の体験をめぐって、知性を侮蔑、無我を尊んだりしていた事態を考えても確かめられる。それらは、言うまでもなく、「私」の「無化」の所産と言えるからである。

あるいはここで、無我や「脱自」を踏まえた上での、東洋の思想家やハイデッガーらの、諸事物をあるがままにあらしめる、存在思想を考えてもよいかもしれない。それらも、「私」の「無化」を踏まえての、主観としての「私」の否定として、私たちの生と存在の確保を目指した思想と言えるからである。

Ⅲ

詩と存在とのかかわりをめぐって

――東洋の詩心と思惟の普遍性を探る

（一）　はじめに

以前、西脇順三郎の『詩学』の中の「『絶対』を求めるボードレールもマラルメもブルトンも禅坊主にすぎない。」という言葉を踏まえつつ、東洋の思惟や心性、詩想の深さや広さ、豊かさを探ってみたことがあったが、このたびは、西脇とは全く異質な一人物、つまりは、ハイデッガーが語るところの、存在をめぐる言葉をたよりに、今一度、同じ問題を考えてみたい、そう思うのである。ハイデッガーの、存在をめぐる所説と、東洋の思惟や心性、詩想との間には深い共通性・類似性があるし、私たちは、それらを介して、これまた、東洋の思惟や心性、詩想の深さや広さ、豊かさを確かめることができるように思われもするからである。

（二） 無という名の存在と仏性

ハイデッガーの、存在をめぐる所説と、東洋の思惟や心性との間の共通性・類似性については、たとえば毛利与一の『禅と西洋思想』（勁草書房）や、大江精志郎の訳書『形而上学とは何か』（理想社）のあとがき、辻村公一の「ドイツ思想と禅」（昭和三十四年四月号「理想」（理想社）などでも論じられているが、私が上記の問題を考えるにあたって、まず触れたいのは、ハイデッガーが語る、次のような諸事実である。

(イ) 存在者は、存在なくしては存在者たりえないし、存在もまた、存在者なくしては自己を顕現しえないということ。従って、その両者は相互に補完、依存し合いながら存在しているということ。

(ロ) その両者は、補完、依存し合って存在していながら、しかしその両者の間には、存在は一、存在者は多という差異があるということ、しかもその一としての存在が、多としての存在者を存在者たらしめているという事態を踏まえれば、その両者の差異は、また絶対と相対、無限と有限との差異とも見做せるということ。

(ハ)　ハイデッガーは、存在をめぐって、それは無であると言ったり、上記の、存在と存在者との差異を踏まえた上での、一体的な関係をめぐっても、これまた存在は、自分を無化することによって、存在者として姿をあらわすと言ったりもしていたということ。

以上、である。

というのは、東洋の思惟や心性をそれらたらしめている、仏性としての無も、ハイデッガーが語る存在と同様、存在者を存在者たらしめる働きを意味しているし、その両者が、その存在をともに無としてとらえているうしろにも、これまた存在が、存在者を存在者としてあらしめる働きで、従って存在をそれとして対象化してとらえられないという事態、つまりは、存在と存在者との差異を超えて、存在を「じか」に生きる以外、それを把握しえない事態が横たわっているからであって、その両者が存在をともに無としてとらえている事態を踏まえれば、その事態は、ハイデッガーの思想の東洋性、逆より言えば、東洋の思惟や心性の（詩想・詩心については後述）普遍性を物語っていると言えることにもなってくるからである。

大切なことなので繰り返せば、ハイデッガーは、存在・無を仏性という言葉を使って表現しはしないし、逆に東洋の思惟や心性も、仏性・無を存在という言葉を使って表現しはしないが、その両者は、ともに、多としての存在者を、無のあらわれとして把えている点においては同一性を所持しているということ、そしてその事態のうしろにあるのは、一としての存在・無は、多としてある存在者がその相対性・有限性をこえて、存在・無のあらわれとなる以外把握できえないという事態だということ、従って、その両者がともに存在を無として把え、そしてその上で自己の所説を展開しているという事態を踏まえれば、それは、東洋の思惟や心性の普遍性を物語っていると言えることになってくるし、ハイデッガーの所説をめぐっても、それはきわめて色濃く東洋性を身にまとっていると言えることにもなってくるのである。

そして私たちは、その事実を、たとえば禅僧趙州や雲門が、仏性について問われた時、「庭前の柏樹子」とか「乾屎橛」（くそかきべら）とか答えていた事態、更には禅僧白隠が創唱した「隻手の音声」や、首山の竹篦《しっぺい》をめぐる、次のような公案をもっても確かめることができる。（読みくだしは、明治書院、神保如天『無門関講話』に依る）

首山和尚、竹篦を拈じて衆に示して云く、汝等諸人、若し喚んで竹篦と作さば即ち触る。喚んで竹篦と作さざれば則ち背く。汝諸人且らく道へ喚んで甚麼《なに》とか作さん。

趙州、雲門の答えのうしろには、ハイデッガーの場合と同様、多を一のあらわれとして把えている事態が潜んでいるし、白隠の公案や、首山の、竹篦をめぐる公案にしても、それらは、多を貫く一の把握や、一と多との差異を踏まえた上での、それらの、これ以上ないという形での一体性・密接不可分な関係の把握を目指しているからであって、それらは、そういうものとして、西田幾多郎が語るところの、「絶対矛盾的自己同一」や、大乗仏教をそれたらしめている「色即是空、空即是色」、更には大燈国師の「億劫相別れて須臾も離れず、尽日相対して刹那も対せず」という言葉とも結びつくからである。

あるいはここで、右の事実に関して、逆にハイデッガーが、ニーチェの影響を受けつつ、ソクラテス以降の、西欧の歴史を存在喪失・存在忘却の時代として把え、嘆いていたり、彼が『存在と時間』において、死への先駆を踏まえつつ、存在を把握しようとしていた事態を考えてもよいかもしれない。

その彼の嘆きは、私たちが等しく存在者として、自分が存在していることを了解していながら、その母胎としての存在を忘却、存在者のみに関心を示す事態への嘆きを意味しているが、その彼の嘆きは、私たちが等しく仏性をもった衆生としてありながら、その母胎としての仏性を忘れている事態への嘆きと言うことができるし、その彼の、死への先駆的な決意性にしても、それは、たとえば道元の「生死は、すなわち仏の御いのちなり」という言葉と符合しもするからである。

要するに、右で見た諸事実、諸事態の符合は、有限にして相対的な、多としての存在者と、その母胎としての、一にして絶対性をおびた存在との、差異を踏まえた上でのドラマとして生じてきているということ、従って私たちは、その事実を踏まえれば、その符合は偶然に生じているのではないと言えることになってくるのである。

(三) 見性の体験と存在の体験

そして私たちは今右で、ハイデッガーが存在をめぐって語っていた事実と、東洋の思惟や心性との共通性・類似性を瞥見したが、それらの共通性・類似性は、究極的には、ハイデッガーの存在体験が、イコール仏教が語るところの見性の体験、頓悟の体験を意味しているそこより生じてきていると言えるように思われてくるのである。見性の体験とは、自己の母胎を把握する体験として、存在者が母胎としての存在を把握する体験と言えるし、その頓悟の安心立命も、これ以外にありえない一に、多としての相対が遭遇、あれかこれかの迷いや不安より解き放たれる体験と言えるからである。つまり、見性・頓悟の体験とは、或る日「ふと」という形で、一・絶対に遭遇する体験で、それゆえそれは、ハイデッガーが語るところの存在体験の、単なる異名とも言えるということ、従ってその事実を踏まえれば、それらの共通性・類似性は見性・頓悟の体験が存在体験の単なる異名にしかすぎないという事態より生じてきていると言えることになってくるのである。

そして私たちは、その事実を、たとえば彼がその『同一性と差異性』（引用は、理想社・ハイデッガー選集10に依る）の中で、次のように語っていた事態を介して確かめることができる。

さて存在とは何か？　我々は存在をそれの始源的意味に従って現前存在（Anwesen）と考えよう。存在は人間にとって随伴的にも例外的にも現前に存在する（west…an）のではない。存在はそれの語りかけによっ

> て人間に関わる（an-geht）ゆえにのみ、現成し（west）且つ持続するのである。何故ならば人間こそ、存在に向かって明濶に、存在を現前存在として到来せしめるからである。そのような現前―存在（An-wesen）は、或る明るさの明濶さ（das Offene）を使用し、かくこの使用によって、人間本質に委ねられているのである。このことは決して存在が、初めてただ人間によって定立されることを意味しない。むしろそれに反して次のことが明らかになる。
>
> 即ち人間と存在とは相互に委ね合っていること、それらは相互に合しあう。……。
>
> 我々はなおいまだ結合の内へ帰入しない（kehren…ein）。しかし如何にしてかかる帰入が達成されるか？それは我々が表象する思考の態度から自らを離脱させることによってである。この自己離脱（Sichabsetzen）は、飛躍の意味における Satz（跳ぶこと）である。……。
>
> そういうわけで人間と存在との結合を明瞭に経験するためには飛躍が必要になる。この飛躍は、かの合することの内への橋わたしなき突如たる帰入である

右の文中で語られている「離脱」・「飛躍」を踏まえた、「人間と存在との結合」の「橋わたしなき突如」の「帰入」とは、多としての存在者の、自己の母胎への、論理をこえての——ということは、

相対的分別・理性とは無縁の、ということにもなってくるが――「帰入」として、それはまさに、仏性を所持していながら、なお衆生にとどまっている、私たち存在者の、自己の母胎への「帰入」として、見性・頓悟の体験、成仏の体験と言えるからである。

あるいはここで、彼が人間を「脱自」、「世界内存在」として把えていたり、同じ『同一性と差異性』の中で、次のようなことを語ったりしていた事態を考えてもよいかもしれない。

このまれなる飛躍、それは我々が本来既にそこに存在しているところの場に我々が今なお充分には居住していないことの洞察を、多分我々にもたらすであろう。

ハイデッガーの語る世界内存在とは、主客が相対する以前の――ということは、「表象する思考」とは無縁の、ということにもなってくるが――、「気づいた時既に」という形で世界の中に出で立って存在している状態として、仏教が語るところの、無心・無我の無の状態、だから脱自というあり方を踏まえ成立しているし、右の言葉も、私たちが等しく仏性を所持していながら、それを忘れている事態を指摘しているとも見做せるからである。

あるいはここで、右の事実に関して、逆に禅僧慧海の「見るものも見られるものもなくして見る、それが正しく見るということだ。……もしそのように見るものも見られるものもなくして見うるとき、それを仏の眼という。」（筑摩書房・世界古典文学全集36A『禅家語録Ⅰ』所収『頓悟要門』）という言葉や、次のような、禅問答（『碧巌録』26則）を考えてもよいかもしれない。

僧、百丈に問う「いかなるか是奇特の事」

丈云く「独坐大雄峰」

慧海の説く、諸事物、諸事象の「じか」の把握は、ハイデッガーの語るところの「表象の思考」からの「離脱」において成立しているし、その百丈の答えも、無依にして自由自在なあり方としての真如を体現しているが、それも、「突如」の「飛躍」を踏まえての――ということは、存在と存在者との合一の体験としての「出来《しゅつらい》」・「性起」を踏まえての、ということにもなってくるが――、ハイデッガーの、根拠の考察をめぐっての、アンゲールス・シレジウスの次のような詩句への言及と符合しているからである。

薔薇の咲くのに理由はない。それは咲くから咲く。

(四) 詩的体験の超現実性と絶対の体験

右で、見性・頓悟の体験と、ハイデッガーの語るところの存在体験との共通性・類似性を垣間見たが、その彼の存在体験こそは、彼の詩や詩人への関心を生み出している母胎であり、私たちは、それらへの彼の関心を介して、また東洋の詩や詩心の広さや深さ、豊かさを確認することができるのである。

たとえばここで、『形而上学入門』の中の、彼の次のような言葉を考えてみていただきたい。(引用は、理想社・ハイデッガー選集9巻に依る)

詩人の詩作と思想家の思考との中には、いつでも広い宇宙があけられていて、そこでは一つ一つの物、木とか山とか家とか鳥の鳴き声とかが、どうでもよい平凡なものという性格を全く失ってしまう。

詩・詩人にとっての、いのちの空間としての「広い宇宙」とは、要するに、相対的な多としての存在者が、一としての存在に襲われて、その相対性・主観性を喪失、全面的に存在の働きの場になりきっている「宇宙」、だから脱自の体験を踏まえた世界を意味しているし、そこで述べられている「一つ一つの物」がかけがえのない意味・必然性をもって見えたり、聞こえたりする事態も、これまた、それらが一としての存在を体現している姿として、道元や蘇東坡をして、次のような歌や偈を作らせたり、ハイデッガーをして「詩作は妙有のトロポギーに他ならない。」(理想社・ハイデッガー選集6『思惟の経験より』)と語られたりしていた当の事態だったからである。

峰の色谷の響きもみなながらわが釈迦牟尼仏の声と姿と

谿声便ち是広長舌

山色豈に清浄身に非らんや

夜来八万四千の偈
他日如何が人に挙似せん

つまり、見性・頓悟の体験と存在体験とは、これまで見てきたように、これ以外にありえないという一・絶対の体験としてあるということ、そして詩は、時として、一・絶対を盛る器となることがあるということ、そこよりハイデッガーが詩や詩人を論じたり、禅僧が詩人性を身にまとったりするような事態、だから存在・無の体験がイコール詩の体験を意味するような事態も生じてきているということ、従って私たちは、存在・無の体験がイコール詩の体験を意味する事態をめぐって、それの原因は、究極的には、相対的で有限な私たちが、時として無限性・絶対性をおびることがあるそこにあると言えることにもなってくるのである。詩を一・絶対の器にするのは、私たちの一・絶対の体験だからである。つまり、私たちの一・絶対の体験以外、詩を一・絶対の器にするものはないということ、そこより、存在・無の体験と詩の体験の一体性、だからそれらが絶対を介して結ばれるという事態も生じてきているのである。

そして私たちは、その事実をたとえばハイデッガーがフィエタ宛の書簡の中で、マラルメの次のような言葉に言及していたり、ヘルダーリンや西脇順三郎がそれぞれ『ヒュペーリオン』や『詩学』の中で、「もっとも美しいものは、またもっとも聖なるものである」とか、「『絶対』を求めるボードレールもマラルメもブルトンも禅坊主にすぎない。」とか言ったりしていた事態を考えても明らかになってくる。

鏡が、この手紙を書いている机の前になかったならば、私はふたたび「虚無」となってしまうかもしれない。それは君に、今や私は無我である、とお知らせすることでもある。私はもはや君の識っていたステファヌではない、——それどころか、かつて私であったところのものを通して、見られ、展開する精神的宇宙に属する、一能力なのだ。（引用は、筑摩書房・世界文学大系43に依る）

マラルメのその言葉を引く背後には、ハイデッガーが存在に襲われて、相対性を失うという事態が潜んでいるし、ヘルダーリンをしてその言葉を語らせているのも、これ以外にはありえないという一・絶対の体験であるし、西脇のその言葉も、これまた絶対を踏まえ語られているからである。

あるいはここで、その事実をめぐって、西脇が触れているボードレールが「万物照応」という詩篇を作っていたり、ブルトンがその『シュールレアリスム宣言』の中で、ルヴェルディーの次のような言葉を引いていたりしていた事態を考えてもよいかもしれない。（引用は、現代思潮社のそれに依る）

近づけられた二つの実在の関係が、たがいに縁遠いものであり、適切なものであればあるほど、そのイメージはいっそう強烈なものとなり、いっそう感動的な力と詩的現実性をおびてくる。

「万物照応」の背後には、事実として、ボードレールの一・絶対の体験、だから彼をして「事物は、神が世界を複合した分割できない全体とし定めたもうた日以来、つねに相互的な類縁（analogie）によってあらわされてきたのである。」（人文書院・ボードレール全集所収「リヒアルト・ワグナーと『タンホイザー』のパリ公演」）と語らせるような、一・絶対の体験が潜んでいるし、ルヴェルディーをして右の言葉を語らせているのも、相対を貫く一・絶対の経験と言えるし、それらの一・絶対の追求は、そのまま先に触れた一事実、繰り返せば、白隠や首山の、一の把握を目指しての公案と符合しもするからである。

（五）　詩的体験の超現実性とシュルリアリズム

右で、私たちが時として絶対性をおびることがあること、そしてそこより、存在・無の体験がイコール詩の体験を意味する事態も生じてくると言ったが、その絶対の体験こそは、詩の超現実性を形造っている事態にほかならない。詩の超現実性とは、西脇がブルトンを絶対の使徒としてとらえていたその事実を考えてもわかるように、通常の、相対的な分別・理知とは無縁な事態、だから、あれかこれかの迷いや不安につきまとわれた分別・理知より見れば、不合理には見えながらも、なおそれを超えて、有無を言わせない形で、分別・理知が納得させられる事態、震撼という事態を意味しているからである。つまり、それは、宗教上の、不合理とは知りながらも、なおその知を超えて、「不合理ゆえにわれ信ず」と言わざるをえないのと同じ事態で、そこよりまた西脇がブルトンを「禅坊主」と把えていた事態も生じてきていたということ、そしてその事態の背後にあるのは、先にも少し触れたが、人間が有限であるがゆえに無限・絶対を求めざるをえない事態であり、また無限・絶対を把えることができるという事態だということである。従って上記の事実を踏まえれば、私たちは、シュルアリズムをめぐってもまた次のように言えることにもなってくるのである。それは、私たちが、無限や絶対を求めざるをえないし、また私たちがそれらを事実把握することができるという事態より生じているところの、詩という形をとっての、一つのあらわれ、運動としてあったのであって、その母胎は、だから今述べた事実、繰り返せば、人間が有限でありながら、無限や絶対を求めざるをえないし、また無限や絶対を事実把えることができるところにあった、と。そしてそこより、ハイデッガーが語るところの存在体験や、禅僧の語る見性・頓悟との符合も生じてきている、と。

そして私たちは、右の事実を、またプルーストやニーチェの、次のような言葉を介して確かめることができるのである。

> 啓示がくだってわれわれを救ってくれるのは、往々にしてすべてが失われたと思われる瞬間にである。あらゆる扉をたたき尽したけれど、みんなふさがっている。たった一つはいることのできる扉、百年かかって捜し求めてもむなしかったであろうような扉に、ふっと知らずにつきあたる。と、それはおのずから開くのである。（新潮社・『失われた時を求めて』）

この状態（霊感に襲われている状態、筆者）になると……実際、自分は圧倒的な威力の単なる化身、単なる口、単なる媒介にすぎぬという想念を払いのけることはまずできないだろう。啓示という概念がある。筆舌に尽くしがたいほど確実に精妙に、何かが、人をして深く動揺せしめ感動せしめるような何かが、突如見えてくる、聞こえてくるという意味だ。……稲妻のように一つの思想がきらめく、必然性をもって、ためらいを許さぬ形で……まさに一つの恍惚境である……一つの完全な忘我の境にありながら、爪先に至るまで無数に小刻みに震え、ぞくぞくしているのを明瞭に意識している。……有無を言わせず、しかしまた自由一感情の、無礙自在の、力の、神性の嵐の中におけるがごとく（理想社・ニーチェ全集14巻所収『この人を見よ・自伝集』）

プルーストが語る「啓示」の体験とは、これ以外にはありえない絶対の体験を意味しているが、その彼の美の体験への扉は、聖書が語るところの扉、だから「求めよ、さらば与えられん」の扉へと通じているし、ニーチェの語るその「忘我の境」も、これまた鈴木大拙が語るところの「無分別の分別」と重なることは勿論のこと、その無は、彼をして次のように叫ばせつつ、諸事物を、禅僧と同様、成仏・救済させていた事態だったからである。

「慮《おもんぱか》らして」――これこそは、この世界の最も古い高貴さである。この高貴さを、わたしは一切の諸事物に取りもどしてやった。わたしは諸事物を目的への隷属から救済してやった。（全集9巻『ツァラトゥストラ』）

あるいはここで、無の体験を踏まえつつ「私は他者」と言いながら、詩人を「見者」として把えていたランボオを考えてもよいかもしれない。その彼の詩人の把え方は、禅僧の、無を介しての諸事物の「じか」の把握や、禅僧慧海の「見るものなくして見る」見方、だから彼らの宗教的体験と軌を一にしているからである。

以上をもって、この論は終わるが、終わるにあたって、一つ記しておきたいことがある。それはこれまで述べてきた事実は、ハイデッガーが神を存在者と見做して、万物の母胎として把えることを拒んでいたという事態を踏まえてもなお主張できるということである。彼のその主張は、存在と存在者との差異を無視、存在を忘却してきた、西欧の歴史を考慮しての主張で、私たちは、その主張の意味を認めつつも神を存在と同様、依然として万物の母胎として把えることはできるからである。

東洋の東西を貫く詩心

——鈴木大拙の所説を顧みながら

(一)　東洋の詩の心と禅

鈴木大拙は、その『禅学への道』(岩波書店・鈴木大拙全集14巻所収)の中で、禅が取り扱う公案をめぐって、次のようなことを語っている。

禅文学の今一つの特色はその詩への傾斜である。公案は詩的に鑑識され或は批評されてゐる。『碧巌集』もしくは『従容録』はその好箇の一例である。

右の文では、公案が「禅文学」の、「詩への傾斜」を物語るものとして把えられているが、その把え方は、私には、たとえば彼のエッセイ「実存主義・実用主義と禅」（全集14巻所収『禅』）を読むと、詩と禅との密接不可分な関係を踏まえた上での、一つの偶然的なあらわれと思われてくる。そのエッセイにおいて、彼は、禅に関する自分の理解を、短いながら適切無比という形でよくまとめて表明しているが、彼はそこで、禅をそれたらしめている「タタター」という概念、つまりは、私たちが、これ以外にはありえないという一・絶対に遭遇、あれかこれかの、相対的な分別を失う、そこに生じる、諸事物、諸事象の「徹頭徹尾」の「肯定」という概念をめぐって、それには、「ある意味で、芸術作品や自然の美しさの審美的共感を思はせるものがある」と語りながら、具体的に加賀の千代女の作品、「朝顔につるべとられてもらひ水」に言及、彼女がそれを作るにあたって味わった「美との合一感」からの「目覚め」、つまりは「無分別の分別」からの「目覚め」について、次のようなことを語っていたからである。

心理学的に云へば、俳人千代女は、美の瞑想から覚めるのに時間を必要とした。しかし形而上学的に云ふならば、彼女が合一化に没入したのと分別に目覚めたのとは同時である。そしてこの同時性は、絶対の現在に成就する――それはタタターの一刹那《エーカ・クシャナ》である。これが、禅の哲学である。

つまり、右の文では、千代女をして「朝顔」の句を作らせ、俳人たらしめもした事態と禅や禅僧が体現している「タタター」とは、「絶対」の、過現未の一つとしての「現在」への現前化として――ということは、「没入」と同時の、それからの「目覚め」・覚醒の体験として、ということにもなってくるが――一体的なものとして存在しているということ、従ってその事態の同一性を踏まえれば、公案を介しての、「禅文学」の、「詩への傾斜」は、禅と詩との同一性を踏まえ生まれ出てきている偶然的な、一つの出来事と言えるということ、その底には、禅と詩との、きわめて深い同一性が潜んでいると言えることになってくる。

そしてその事実は、彼が右の文に続けて、次のように語っていた事態を考えてもまた確かめられるのである。

タタターには、純理性的な要素がある。タタターは、単なる実在の詩的瞑想でもなければ、実在への没我同化でもない。そこには覚知があり、この覚知が般若《プラジュニャー》の直観である。ブラジュニャーの直観を「無分別の分別」と定義してもよいかもしれない。

「タタター」が所持している「般若の直観」としての「無分別の分別」は、「絶対」との接触によって生じる「無分別」（相対的な分別の消失）と、それからの、同時的な覚醒（相対的分別の性起）によって成立している事態として、「絶対」と、過現未の一つとしての現在との同居、だから「絶対の現在」と符合しているということ、従ってその事実を踏まえれば、千代女の「朝顔に」の句も、美への没入とそれからの同時的な覚醒によって生み出されていたのだから、彼女のその句は、「般若の直観」としての所産と言えることになってくるし、その事態は、禅と詩との密接で不可分な関係をこれまた示してくるからである。

あるいはここで、右の事実に関して、禅が無心の心や無念の念、無住の住や無為の為を尊んだり、同じところで彼が次のように語ったりしていた事態を考えてもよいかもしれない。

シューニャター（空、筆者）が一切を否定、あるいは拒絶するものとすれば、タタターは、一切を受け入れ、一切をうけがふものである。この二つの概念は、たがひに相対立するもののやうに見えるかもしれない。だが仏教の考へによると、両者は相反するものではなく、ただわれわれの相対的な物の見方ゆゑに、さう見えるのだと云ふ。実は、タタターがシューニャターであり、シューニャターがタタターである。万物はシューニャターなるがゆゑに、タタターである。仏教の哲人は、「シューニャターを体験する前は、山は山であり、川は川である。だが体験してのちは、山は山ではなく、川は川ではない。しかし体験が深まる時、ふたたび山は山であり、川は川である」と、はっきり述べてゐる。

初めに並べた言葉は、皆、相反するものの同居・同一性を示しているが、その同居・同一性を生み出しているのは、絶対との接触によって生じる、相対的な分別・自己の消滅という事態（だから私たちが無になることとも言える）と、それ（無）からの同時的な目覚め・覚醒という事態であって、それ故その事実を踏まえれば、それらはみな、相反するものの同居・同一性を告げていた「無分別の分別」の、単なる別表現に過ぎないと言えることになってくるし、絶対を介して生じる無と、それからの覚醒の、同時的な性起という事態こそは、これまた、「山は山でなく、山は山である」という事態、だから相対的な分別・自己の無を介しての、絶対性をおびた、相対の是認という事態だからである。

つまり、上述の諸事実は、絶対との接触によって生じる、相対的な分別・自己の消滅、だから無を介しての、相対の是認として、同一事態の個別的なあらわれとしてであるということ、そしてそれらは、そういうものとして、美への没入とそれからの同時的な覚醒・「目覚め」というところに生み出されていた「朝顔に」の句の誕生・詩人としての誕生と符合しているということ、従ってその事態こそは、詩と禅との、この上ない、密接な関係を示していると言えることになってくるということ、そして私たちは、その事実を、たとえば禅体験を踏まえた西田幾多郎の「絶対矛盾的自己同一」という言葉や、禅が尊ぶ「金剛経」をそれたらしめている事態、つまりは、「AはAでなく、Aである」という、かの「般若の直覚」をもって、これまた確かめることができるのである。「矛盾的自己同一」を生み出しているのも、絶対との接触によって生じる無であるし、「金剛経」で語られている「知」も、無を踏まえ生じているからである。

（二）　諸事物、諸事象の「じか」の把握と詩

右で、千代女の作品をめぐっての、大拙の言葉を介して、詩と禅との関係を瞥見したが、そこで見られた、その両者の関係は、禅とは無縁な西欧の詩人にもこれまた見られる。

そしてその事実を探ることは、禅や、禅が体現している東洋の詩の心や思惟の深さや広さ、つまりは、普遍性を探ることにもなるので、以下見てゆきたいが、たとえば、私たちになじみの詩人、ランボオが一八七一年五月の十三日にしたためた、イザンバール宛の、いわゆる「見者の手紙」の中で、デカルトの「我れ思う、故に我あり」という言葉を侮蔑、「我れ思う、なんて言うのは誤りです」と言いながら、「ぼくは自分を詩人であると確認したのです。」と語っていたこと、そしてそれに続けて、十五日、ドメニー宛の書簡の中で、「『詩人』は凡ゆる感覚の、長期にわたる、大がかりな、そして理由のある錯乱を通じてヴォワイヤンとなるのです。」と言いながら、詩人をめぐって、次のように語っていた事態を考えてみていただきたい。（引用は、人文書院・ランボオ全集に依る）

彼は、とりわけ偉大な病者、偉大な罪人、偉大な呪われ人となり、――そして、至高の「賢者」となるのです！　なぜなら彼は未知のものに到達するのです！　それと言うのも、もともとゆたかな魂を、彼が誰にも勝って涵養したからです！　彼は未知のものに到達し、そして、その時、狂乱して、己の様々な視像《ヴィジョン》についての知的認識力を失ってしまった時に、はじめて彼はそれらの視像を真に見たのです！

右の文では、「視像を真に見」る「見者」としての詩人のあり方が、「知的認識力を失」うそこに「はじめて」生み出されると説かれているが、その「知的認識力」なるものが、主客が分離したそのあとの、主観としての「われ」の「認識力」を失うそこに「はじめて」生み出されると説かれているが、その「知的認識力」なるものが、主客が分離したそのあとの、主観としての「われ」の「認識力」を意味していることを考えると、その彼の「見者」としての詩人の把え方は、主観としての「われ」の否定の上に成立しているものとして、まさに主客の相対を脱却、無念無想・無心無我の無を踏まえた上での、見ることをめぐる、禅僧慧海の、次の言葉と符合するからである。（引用は、筑摩書房・世界古典文学全集36A『禅家語録I』所収『頓悟要門』に依る）

見るものも見られるものもなくして見る、それが正しく見るということだ。……もしそのように見るものも見られるものもなくして見うるとき、それを仏の眼という。

つまり、ランボオが、デカルトの語る「我れ」を否定すると同時に、詩人を「見者」として把えていたのは偶然のことではなく、それは、彼がこれ以外にはありえないという絶対・一に遭遇、あれかこれかの不安や迷いにつきまとわれている、相対的な「われ」やその見方を消失、それらから脱却したからに他ならないということ、そして彼と禅僧慧海との、時空を超えての符合を生み出しているのも、相対的な時空を超えた絶対の体験なのである。その慧海の、無を踏まえた「見」を生み出しているのも、これ以外にはありえないという絶対の体験、だから、あれかこれかの不安や迷いの消滅という悟りの体験であったからである。

そして右の事実は、たとえば禅僧玄沙が、一僧より、修行の仕方を問われた時、逆に「小川の音が聞えるか」と問い返し、その一僧が「ハイ」とこたえるや、「では、そこから入りなさい」と言っていたり、禅僧盤珪が、鐘の音をめぐって、「鳴って後に聞いて鐘と云ふは、一念生じた跡の名で、第二に落ちた事でござる」（春秋社・『盤珪禅師法語集』所収「盤珪禅師説法」）と言ったりしていた事態、更には、『般若心経』の中の「無眼耳鼻舌身意」という言葉を考えても確かめられる。玄沙の言葉のうしろには、主客が分離する以前の無を踏まえての、絶対的な「知」の把握が潜んでいるし（従って、あれかこれかの不安や迷いを所持している相対的な「知」は、上述の、絶対的な「知」を踏まえ、二次的な形において生み出されている。）、『般若心経』の中の言葉も、「眼耳鼻舌身意」にとらわれていては、世界や、そこの諸事物・諸事象の「じか」の把握は成立しないことを物語っているからである。つまり「般若の知恵」としての「知」は、玄沙や盤珪の「知」と同様、主客が分離する以前の、絶対的な知覚の「知」を意味しているのであって、そこから、大拙が語る「無分別の分別」や、西田幾多郎が語るところの、経験の原初としての「純粋経験」も、これまた生み出されているのである。

要するに、それらは、みな絶対を踏まえた体験として、ランボオの、絶対を踏まえての「見」や詩人の誕生と符合しているということ、それらは、絶対を介した符合として、偶然的に生じている事態ではないのである。

あるいはここで、先に触れもした、イザンバール宛の書簡の中で、ランボオが次のように語っていた事態を考えてもよいかもしれない。

結局、貴方は貴方の原理としては主観的な詩のみを見ておられます。大学の教職にふたたび就こうとなさる執拗さが――暴言御免下さい！――そのことを證したてています。……いつかは、ぼくは希うのです。――多くの他の人々も同じことを希っているのですが、――貴方の原理のなかに客観的な詩を見たいものだと。

右の文で語られている「客観的な詩」とは、彼がそこで、「主観的な詩」を嫌っている事態を考えてもわかるように、主客分離したあとのそれではなく、それとは異質の、絶対性をおびた「客観的な詩」、だから、タタターが持つ、主観とは無縁の「客観性」・〝あるがまま〟を踏まえた「客観」性を意味しているからである。

そして、以下の事実の詳細は、拙稿「見者の体験と見性」（『超現実と東洋の心』）にゆずるが、右の事実は、平井啓之がその「ランボオ論」（弘文堂・『ランボオからサルトルへ』所収）の中で、詩篇「酔いどれ船」をめぐって、次のように語っていた事態を考えても確かめられる。

ランボオの本質はその「動性《ディナミスム》」にあり、「動性」とは「一つの主体が内包するエネルギーに促されて、空間をある速度を以て動き廻ること」なのであるが、この時、動くものは主体――詩人の眼の位置であり、イマージュは、出逢われた「物」の表象として厳然たる不動感を以て定着される。この、眼——視点の位置の神速な移動と、とらえられた視象の定着感は、「酔いどれ船」に於てもっとも典型的な形であらわれている。

平井が指摘する、ランボオの「動性」の「神速」さは、彼の意識が、一切のとらわれより解き放たれているそこより生じているし、その「視象」の「厳然たる不動感を以て」の「定着」も、これまた何ものにもわずらわされない、諸事物や諸事象の正確無比の把握、つまりは、これ以外ありえないという、絶対的な把握を意味しているからであって、それらの事実を踏まえれば、私たちは、「酔いどれ船」をめぐって、それは、ランボオが、と或る日、おのれの意志や意識をこえて、〝ふと〟という形で、あらゆる桎梏より解き放たれて「見者」となった自分を踏まえての形象化と言えることにもなってくるからである。

あるいはここで、右の事実に関して、悟りをめぐって、大拙が「悟りには主体の知識も知識の対象も存しないといふ意味において、それは絶対知識である。」とか、「悟りは積極的に動く直覚である。諸君が、動く対象とともに動き、その動きとぴたりと一枚になりきるとき、……それが悟りである。」(全集12巻所収『禅による生活』)とか、言っていたり、平井が同じ「酔いどれ船」に触れて次のように語ったりしていた事態を考えてもよいかもしれない。

僕は、ランボオの視象の性格を明らかに示す事実として、『酔いどれ船』の各四行節の冒頭に繰返される、「我れは知りぬ、Je sais」、「我れは見ぬ、J'ai vu」「我れは夢見ぬ J'al révé」「我は衝突りぬ、J'ai heeurté」、等の表現を指摘しよう。各四行節はこれらの言葉を発想の始めに置いて絢爛たる視象を展開するのであるが、これらの視象はすべて、神速に流転する『酔いどれ船』の視点から、「知られ」、「見られ」、「夢見られ」、「衝突られ」た、「もの」として確固とした客体性を具えて厳存するのである。

そして、これらの、「知りぬ」「見ぬ」「夢見ぬ」「衝突りぬ」という言葉は、視象の客体性を表わす点で、イリュミナシヨン中の傑作『少年時』の第四部に見られる「在る Il y a ～」という言葉と同じ意味を担う。

大拙の悟りをめぐる言葉は、ランボオの「視点の位置の神速な移動」と、「視象」の把握の適確無比性と符合しているし、平井が語る「『知られ』、『見られ』、『夢見られ』、『衝突られ』た、『もの』としての確固とした客体性」にしても、それは、主客の分離を踏まえた上での〝客体性〟ではなく、それ以前の、ランボオの、主観としての「われ」なき事態に支えられての、諸事物の独立自在を意味しているし、「視象の客体性」が、イコール「在る」ということを意味するのも、主観としての「われ」がなければ、その前に展開するのも、諸事物がただ「在る」という事態だからである。

つまり、私たちは、「私が花を見ている」とか、「私が鳥の声を聞いている」とか、言ったりするが、それは、私たちが花を見たり、鳥の声を聞いたりしている現場より脱け出たあとの表現であって、花を見たり、鳥の声を聞いたりしているところに「われ」はないということ、従ってランボオにおいて、諸事物の「客体性」がイコール「在る」を意味してくるのも偶然のことではなく、それは、彼の中における「われ」の不在、つまりは、非人称的な「人」しかいないあらわれと言えるのであって、その「われ」なき、非人称的なあり方こそは、大拙が語るところの、悟りと重なりもするからである。

(三) 啓示の体験と詩の体験

右で、大拙の、禅をめぐる理解・主張を念頭におきつつ、ランボオを介して、詩と禅との関係を垣間見た。そしてその事実は、東洋の詩の心や思惟の深さ、広さを垣間見ることをも意味していたわけだが、私たちは、ランボオを介して見たのと同じ事実を、これまた、禅と直接の接触のなかったニーチェを介しても見ることができる。

ニーチェの詩人性については、これまでも他で触れもしてきたが、たとえばここで、大拙の禅の理解・主張を頭におきつつ、「昔の強い時代の詩人たちが霊感と呼んだものについて」の、彼の次のような叙述を考えてみていただきたい。

一九世紀末の今日、昔の強い時代の詩人たちが霊感と呼んだものについてはっきりしたことがわかっている人があるだろうか？　誰もわかっていないというなら、私がその状態を記述してみよう。――この状態になると、ほんの少しでも迷信の粕を体内に残し持っている人間なら、実際、自分は圧倒的な威力の単なる化身、単なる口、単なる媒介にすぎぬという想念を払いのけることはまずできないだろう。啓示という概念がある。筆舌に尽くしがたいほど確実に精妙に、何かが、人をして深く動揺せしめ感動せしめるような何かが、突如見えてくる、聞こえてくるという意味だ。（中略）聞くだけで、捜し求めることをしない。受け取るだけで、誰がくれるのかを問いはしない。稲妻のように一つの思想がきらめく、必然性をもって、ためらいを許さぬ形で——私はいまだかつて、どうしようかとためらって、どっちかに決めるというようなことをしたことがない。まさに一つの惚惚境である。（中略）一つの完全な忘我の境にありながら、爪先に至るまで無数に小刻みに震え、ぞくぞくしているのをきわめて明瞭に意識している。これは一つの幸福の奥底であり、ここでは最大の苦痛も最大の憂愁も妨げとはならず、むしろ当然生み出されたものの結果、求めておびき出されたもの、このような光の充満している所では一つの必然的な色という役割をする。

ニーチェの語る「霊感」・「啓示」の体験とは、そこにある「ためらいを許さぬ形で」という言葉を考えてもわかるように、私たちがこれ以外にはありえないという一・絶対に遭遇、あれかこれかの不安や迷い、疑心暗鬼を消失する体験として、禅の頓悟の体験と重なることは勿論のこと、そこで語られている「見え」「聞こえ」るや、「爪先に至るまで」「明瞭に意識している」状態も、ともに「完全な忘我の境」を踏まえた状態として、これまた、先に見た盤珪やランボオの、無を踏まえた上での、諸事物・諸事象の、「神速」にして適確きわまりない、「じか」の把握や、大拙が説くところの「無分別の分別」、つまりは、「般若の直観」・知恵とも符合しもするからである。

つまり、右の文中には、一・絶対に遭遇、無念無想、無心無我の無を体現している禅僧と同じ詩人がいるということ、従ってその事実を踏まえれば、ニーチェをして右の言葉を語らせているのは、普段は相対的な分別によっておおわれてはいるが、その底に横たわっている仏と言えることになってくるのである。絶対性を体現した仏性は、「ふと」を介しての、相対的な分別の消失なくしては把握しえないからである。

そしてその事実は、彼が『ツァラトゥストラ』の中で、自分が味わった霊感体験を踏まえつつ、「わたしにとって——どうしてわたしの外などがあろうか？　なんらの外もないのだ！」と呟きながら、次のように語っていた事態を考えても確かめられる。（引用は、理想社・ニーチェ全集に依る）

わたしは、祝福する者、《然り》と言う者になったのだ。……

ところで、これがわたしの与える祝福である、すなわち、あらゆる事物の上に、その事物自身の天空として、その丸い屋根として、その紺碧の鐘と永遠にわたる保証として、かかることだ。かくて、このように祝福する者は、さいわいだ—

というのは、一切の諸事物は、永遠という泉において、そして善悪の彼岸において、洗礼を施されているからである。……

「一切の諸事物の上には、偶然という天空、無邪気という天空、不慮という天空、奔放という天空がかかっている」と、わたしが教えるとき、まことに、それは一個の祝福であって、なんら冒瀆ではない。

初めの文中には、一・絶対に襲われて、相対的な「われ」を消失、無我となっている一人物がいるし、後者の文中にも、相対性・有限性をなくして、空・中道・永遠を体現、自分のみならず、諸事物や諸事象を成仏・あるがままにしている一人物、だから大拙が説くところの、「シューニャター」（空）と「タタター」とを体現している一人物がいるからである。

つまり、ニーチェは、空とか、「タタター」という言葉を使用してはいないが、それらは、一・絶対を踏まえ生じてきている事態で、そこより大拙が説くところの、「シューニャター」と「タタター」との一体性を彼が体現したり、彼が禅僧と同様、諸事物や諸事象を救済・成仏させたりする事態も生じてきているのである。

あるいはここで、彼を語る上で看過しえない重要さをもった、彼の次のような言葉を考えてもよいかもしれない。

私は、いよいよもって、事物における必然的なものを美と見ることを、学ぼうと思う、――こうして私は、事物を美しくする者たちの一人となるだろう。運命愛（Amor fait）、――これが今よりのち私の愛であれかし！……そして、これを要するに、私はいつかはきっとただひたむきな一個の肯定者《ヤー・ザーゲンダー》であろうと願うのだ。

（『悦ばしき知識』）

断片であり、謎であり、恐ろしい偶然であるものを、一つに圧縮し収集すること、それこそわたしが〈或る意味での詩人として〉日夜肝胆を砕いていることである。

かくて、もし人間が、詩人、謎を明かす者、偶然を救済する者でもあるのでなければ、わたしはどうして人間であることに耐えられよう！（『ツァラトゥストラ』）

前者では、世界やそこでの諸事物、諸事象の、絶対を介しての肯定（タタター）が美の把握として、詩人の仕事と把えられているが、それは、大拙が、千代女の詩人としての誕生を、絶対への没入と、それからの同時的な目覚めにおいて把えていた事態と符合しているし、後者の言葉を語らせているのも、絶対を介しての、世界やそこでの諸事物、諸事象の救済・成仏を自分の任務としている、聖性を身にまとった詩人・美の使徒だからである。

私たちは先程大拙が、「タタター」をめぐって、それは「単なる実在の詩的冥想でもなければ、実在への没我同化でもな」く、「そこには覚知があり、この覚知が般若《プラジュニャ》の直観であ」り、その「直観」を「『無分別の分別』と定義してもよいかもしれない。」と語っているのを見たが、右の事実は、彼がその言葉に続けて、次のように語っていたことを考えても明らかになってくる。

> ここでは、全体がその各部分とともに直観される。ここでは、差別されぬ全体が、無限に差別され個別化された部分とともに現前する。……全体はその各部分の中において失はれず、また個別化が全体を見失ふこともない。「一」はそれ自身の外に出でずしてそのまま一切であり、またわれわれの周囲の無限に変化した事物、変化してゆく事物の一つ一つは、「一」を具現しつつ、なほそれぞれの個別性を保つてゐる。

大拙が右で述べている、「全体はその各部分の中において失はれず、また個別化が全体を見失ふこともない。」状態こそは、まさにニーチェが語っていた、「断片であり、謎であり、恐ろしい偶然であるものを、一つに圧縮し収集」した状態にほかならないからである。

つまり、ニーチェのその言葉と、大拙が語る言葉が符合するのは偶然のことではなく、その背後には、彼らがともに、一・絶対の体験を共有しているということ、だからその事実を踏まえれば、その符合を生み出しているのは、一・絶対と言えることになってくるのである。言い換えれば、絶対と必然とは、一つとして無駄なもの・偶然的なもののない状態を意味しているのであって、それらは従って、一つの状態の、単なる別の表現にほかならないということ、そしてそれらこそは、これまた、大拙が千代女の句に言及したり、ニーチェが自分を美の使徒・詩人としていた事態を生み出していた事態でもあったのである。『美』はただ一つの完璧な表現しか持っていない」（アンリ・カザリス宛書簡、筑摩書房・世界文学大系43所収）と、マラルメは語るが、「完璧な」世界とは、一つとして無駄なもののない世界・絶対の世界を意味しているからである。

（四）「万物照応」と「一顆明珠」

それ故右の事実を踏まえれば、私たちは、大拙、ニーチェをめぐって、冗談ではなく、彼らは、個と全体・個と個（理事・事々）の、無礙の交流を説く『華厳』の使徒と言えることにもなってくるが、心惹かれるのは、ボードレールの詩篇「万物照応」も、右の事実、繰り返せば、理事無礙、事々無礙の交流を踏まえ成立しているということである。ボードレールは、詩篇「万物照応」をめぐって、「リヒアルト・ワグナーと『タンホイザー』のパリ公演」（人文書院・ボードレール全集Ⅲ所収）の中で次のようなことを語っていたからである。

事物は、神が世界を複合した分割できない全体として定めたもうた日以来、つねに相互的な類縁 analogie によってあらわされてきたのである。

右の言葉を踏まえれば、詩篇「万物照応」は——ということは、その詩篇は、ボードレールの詩人性を象徴しているから、詩人ボードレールは、ということにもなってくるが——、一・絶対を踏まえ成立していると言えることになってくるからである。

つまり、大拙とニーチェの語っている言葉と、ボードレールの詩篇とが符合するのも偶然のことではなく、彼らがともに、一・絶対の体験を踏まえているからにほかならないということ、従って私たちは、またボードレールを介して、禅や禅が体現している、東洋の詩の心や思惟の深さや広さをこれまた教えられると言えることにもなってくるのである。

そしてその事実は、ニーチェが、自分の体験した霊感状態をめぐって、その『権力への意志』の中で、次のように語っていたことをもっても確かめられる。

陶酔と名づけられている快感状態は、精密に、高い権力感情にほかならない……空間・時間感覚が変化しているのであり、途方もない遠方も見渡され、いわばはじめて知覚されうるものとなる……このようにしてついには、おそらくはたがいに疎遠のままにとどまる理由をもっているであろういくつかの諸状態が、相互にからみあうにいたるのである。

右で述べられている「快感状態」は、先に見た、彼の霊感規定の中の「恍惚」状態と重なるが、そこで述べられている事態は、ボードレールの作品「万物照応」とは勿論のこと、彼が「超自然」の状態をめぐって語っていた、次の言葉とも、これまた符合してもいるからである。

人生には、時間と空間とが一層深くなり、生の感情が無限に増大するような時がある。（全集Ⅱ所収「火箭」）

つまり、時と所とをへだてながら、彼らふたりは、不思議と思わせるほど、同一のことを物語っているのである。

あるいはここで、今一つ、その符合をめぐって、ボードレールの詩篇「飛翔」に触れての、辻邦生の、「飛翔する自我」をめぐっての、興味深い、次のような叙述を考えてもよいかもしれない。（引用は、河出書房新社・辻邦生作品全六巻6所収『小説への序章』に依る）

そこでは偶然的な日常的な「小さな私」の枠は砕ける。……「私」は「明るさ」を支える場として、もはや「小さな私」に所属する特定の名を必要としない。「私」とはアノニムな存在に高まった普遍的な主観である。

それはあたかも日常生活の枠をやぶって新しい秩序のなかに進み入ろうとする旅立ちの朝の歓喜に似ている。「小さな私」、この偶然的な日常的な私は、微弱な枠のように砕けちり、私は新しい世界へと旅立つのである。「私」は、拘束する卑小な生活・習慣をこえ、自由になり、全宇宙にひろがり、大胆に飛翔し、歓喜の陶酔を感じる。この「小な私」のはじけとんだ瞬間の歓喜を、ボードレールは次のように歌っている。

池をこえ　谷をこえて
山を　森を　雲を　海をこえて
太陽のかなた　大気のかなた
星ちりばめる極みのかなた

ぼくの精神よ、お前は軽やかに動いてゆく
波間に恍惚と浮ぶ上手な泳ぎ手のように
お前は深い無限の空間をたのしげに飛びまわる
いいがたい　雄々しい悦楽につらぬかれ

病毒の瘴気から遠く遥かに　飛びたて
上天の精気に身を潔めにゆけ
そして飲みほせ　純粋な神聖な酒のような
透明な空間をみたす明るい火を

霧深き生活に重くのしかかる
倦怠と拡がりゆく煩悩をこえて
光みち晴れわたる野へと
力強き翼もて飛びたちゆくものこそ幸いなれ

その思いは　ひばりのごと
朝の天空を目ざして　自由に駆ける
——そは人生の上を眺めつつ　苦もなく
花々の言葉　黙せる物どもの言葉を知る者なのだ

辻の言葉は、ボードレールの詩篇「万物照応」が、絶対を踏まえ成立している事態を見据えた上での言葉であるが、そこで語られている事態は、私たちが先にニーチェにおいて見た事態、つまりは、彼が「卑小な」自己より脱却、無我となりつつ、空・中道・永遠を体現、世界やそこの諸事物、諸事象を全面的に是認していた事態、だから大拙が語るところの「タタター」をも体現していた事態と重なるからである。

要するに、ニーチェ、ボードレールの二者のみならず、彼らと大拙が語ることとが符合するのも、先程から述べているように、彼らが等しく一・絶対を踏まえているからに他ならないということ、そして私たちは、その事実をとおして、禅や、禅が体現している、東洋の詩の心や思惟の普遍性をまた教えられもするのである。

あとがきにかえて

――極限にともる狐火

山間の暗闇に時として出現する狐火、それは、狐の嫁入りの「提灯」とも言われているが、私には、それは、あるいは唐突な印象を与えるかもしれないが、狐どころか、人間そのものにまつわる一事実と思われてくる。

つまり、それは、表面的には狐にまつわる一事実であるが、そのうしろには、人間にまつわる、きわめて重要な一ドラマが潜んでいる、そう思われてくるのである。

たとえば、その事実をめぐって、次のような文を考えてみていただきたい。

夜が、ますます深い夜がやってくるのでないか？　白昼に提燈をつけなければならないのではないか？

………

——ここで狂気の人間は口をつぐみ、あらためて聴衆を見やった。聴衆も押し黙り、訝しげに彼を眺めた。ついに彼は手にした提燈を地面に投げつけたので、提燈はばらばらに砕け、灯が消えた。「おれは早く来すぎた」、と彼は言った。　（ニーチェ『悦ばしき知識』、理想社・ニーチェ全集8巻所収）

右の言葉を踏まえれば、先に見た「狐火」は、狐どころか、人間が時に出会う暗黒の中でともす「提灯」、だから「孤燈」へと豹変するからである。つまり、ひとは、狐とはちがって、日々繰り返される昼夜の夜とは異質の夜、虚無・暗黒という名の夜を持たされるということ、それ故その事実を踏まえれば、右で語られている「提燈」は、狂人がそれを所持しているその事実を考えてもわかるように、虚無・暗黒の中でのあかり・「孤燈」としての「提燈」と言えるということ、しかもそれは、人間が、狐とはちがって、歴史を持ちうるその中での「提燈」として、まさに狐の「提灯」とは異質の、人間の「孤燈」を意味していると言えることにもなってくるからである。

そして右の事実は、次の文を考えても、これまた明らかになってくる。

何処に「暗夜」があるのだらうか。ご自身が人を、許す許さぬで、てんてこ舞ひしてゐるだけではないか。許す許さぬなどといふそんな大それた権利が、ご自身にあると思つていらつしやる。いつたい、ご自身はどうなのか。人を審判出来るがらでもなからう。（「如是我聞」、筑摩書

房・太宰治全集10巻所収）

右の文は、志賀直哉の『暗夜行路』を念頭においた上での、太宰の、志賀への批判だが、そこで語られている「暗夜」の深さこそは、まさに、私たちが持たされる、「狐火」とは異質の、人間的な「孤燈」の母胎だからである。

つまり、私たちは、常時、内外両面より疎外にさらされているのであって、そこより、右で語られている「暗夜」も生じてきているということ、従って、その事実を踏まえれば、私たちはまた、私たちがともす「孤燈」としての「提灯」をめぐって、それは、私たちが出会う「暗夜」の「行路」におけるともしび、だから、生の極限的状態・限界状況においてともすともしびと言えることになってくるのである。

あるいはここで、右の事実に関して、私たちになじみの「一期一会」という言葉や、次のような、ヘルダーリンの言葉を考えてもよいかもしれない。

もっとも美しいものは、またもっとも聖なるものでもある。（『ヒュペーリオン』、筑摩書房・世

界文学大系26所収）

前者のうしろには、歴史的な闇の中で、「孤燈」をかかげつつ、必死になって、未来を探っている一人物がいるし、後者の背後にも、これまた同じく、狂気の淵を「孤燈」をぶらさげながらさまよっている人物がいるからである。

著者略歴

佐久間隆史（さくま・たかし）

一九四二年　東京生まれ
一九六四年　早稲田大学文学部国文科卒
著書　詩集　『匿名の外来者』（思潮社）
『「黒塚」の梟』（詩学社）
『定型の街　遙か遠く』（詩学社）
『日常と非日常のはざまにて』（沖積舎）
『蟬の手紙』（花神社）
『花の季節に』（土曜美術社出版販売）
『あるはずの滝』（土曜美術社出版販売）
新・日本現代詩文庫34『新編　佐久間隆史詩集』（土曜美術社出版販売）
評論集　『保守と郷愁』（国文社）
『比喩の創造と人間』（土曜美術社）
『詩と乱世』（沖積舎）
『西脇順三郎論』（土曜美術社）
『詩学序説』（花神社）
『昭和の詩精紳と居場所の喪失』（土曜美術社出版販売）
『三島由紀夫論』（土曜美術社出版販売）
『詩と東洋の叡知』（土曜美術社出版販売）
『超現実と東洋の心』（土曜美術社出版販売）

現住所　〒220-0072　神奈川県横浜市西区浅間町三―一六七―二

詩《し》と生命《いのち》の危機《きき》
——詩の、美しさと深さをめぐる一省察

発　行　二〇二二年七月三十日

著　者　佐久間隆史
装　幀　直井和夫
発行者　高木祐子
発行所　土曜美術社出版販売
〒162-0813　東京都新宿区東五軒町三—一〇
電　話　〇三—五二二九—〇七三〇
FAX　〇三—五二二九—〇七三二
振　替　〇〇一六〇—九—七五六九〇九
印刷・製本　モリモト印刷

ISBN978-4-8120-2697-7　C0095

◆佐久間隆史の本————————土曜美術社出版販売◆

詩と東洋の叡知——詩は、計らいの、遥か彼方に

西脇順三郎は、その『詩学』の中で「『絶対』を求めるボードレールもマラルメも禅坊主にすぎない」と述べているが、それは、看過しえない重要な意味を持った主張である。もしその主張が正しいとすれば、それは、詩における、東洋の絶大なる宝庫性を物語ってくるからである。本書は、その西脇の主張に注目しつつ、あらためて、東洋の思念や心性の、詩や私たちの生において持つ意味を追求した注目の書である。

4-8120-1963-4 定価２７５０円（税込）

超現実と東洋の心——東洋的心性の、詩における普遍的な意味を探る

シュルレアリスムは、第一次大戦後、ブルトンが中心となってフランスで興した芸術運動だが、それは、自己や自己の居場所の喪失を踏まえた上での、「絶対」希求の運動として、一個人、一時代を超えた普遍性を所持している。この本は、その普遍性を見据えつつ詩や詩人を論じた渾身の長編評論。

4-8120-2403-7 定価３３００円（税込）

新・日本現代詩文庫34 新編 佐久間隆史詩集

佐久間隆史の作品の中における「雪」、そして雪が彩り創造する世界は、実在の雪をこえて、私たちが予感はしていても見ることができない内部の「雪」の実相に直面させてくれる。（冨長覚梁・解説より）

4-8120-1500-6 定価１５４０円（税込）